Aimer c'est se Libérer de la Peur

Docteur Gerald Jampolsky

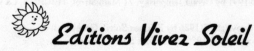

Editions Vivez Soleil

L'IMPRESSION EN COULEUR

Nous avons choisi d'imprimer les textes de nos livres
avec une encre de couleur, malgré le surcoût
que cela représente, dans le but d'éviter
la surintellectualisation qu'entraîne
le noir-blanc et favoriser l'harmonie
entre le cerveau gauche
(responsable de la logique rationnelle)
et le cerveau droit
(facultés intuitives et imaginatives).
Nous voulons ainsi faciliter une lecture
plus globale et plus gaie
tout en contribuant à développer
votre potentiel de santé
physique et psychique.

Trouvez nos collections Santé, Développement personnel
dans notre catalogue complet et gratuit
(merci de joindre un timbre au tarif en vigueur)
EDITIONS VIVEZ SOLEIL
Suisse : 32 av. Petit Senn, 1225 Chêne-Bourg/Genève
Tél :(022) 49.20.92
France : z.a. de l'Eculaz, 74930 Reignier - Tél : 50.43.47.92

Traduction : Olivier Clerc, Edmonde Klehmann
Illustrations : Anja Bell

Septième édition 1991.
Copyright © 1986 Editions Soleil.
32, av. Petit Senn, CH-1225 Chêne-Bourg, Genève
ISBN : 2-88058-032-3

Copyright © 1981 by Gerald Jampolsky
Copyright © 1991 by Gerald Jampolsky, 21 Main Street, TIBURON, Ca.94920/USA

Translation Copyright © 1986 by Editions Soleil, Genève
Drawings Copyright © 1986 by Editions Soleil, Genève

TABLE DES MATIÈRES

Introduction
à la version française

Aimer... mot magique, mais n'avons-nous pas oublié la formule qui lui confère tous ses pouvoirs? Ce livre nous la restitue.

Aimer, c'est découvrir en nous un trésor, une puissance immense, capable de soulever des montagnes et de transformer notre existence toute entière. Aussitôt que nous décidons de laisser partir nos peurs et de prendre l'amour pour guide, tout commence à changer pour nous. Une vision nouvelle de la vie métamorphose notre quotidien : de bonnes surprises en événements agréables, nous devenons de plus en plus contents de nous-mêmes. Nos relations avec les autres et le monde qui nous entoure s'améliorent. Le poids du passé et l'angoisse du futur se dissipent, nous permettant de profiter pleinement de chaque instant.

On dit que « l'amour fait des miracles ». Et si c'était vrai ?

Les Éditions Vivez Soleil sont heureuses de publier en français cet ouvrage qui connaît un grand succès aux États-Unis. L'apprentissage de la santé ne comporte pas seulement de mieux se nourrir, de mieux traiter son corps et de changer ses habitudes. Il nous amène aussi à nous délivrer de l'emprise des peurs et des émotions négatives pour développer une attitude positive. Ainsi nous nous libérons de toutes les limitations et nous épanouissons nos ressources de santé, de joie de vivre et de créativité.

LES ÉDITIONS VIVEZ SOLEIL

**Mon bonheur présent
est tout ce que je vois**

Ce livre est dédié à Helen et à Bill, qui furent à la fois mes maîtres et mes amis. *A Course in Miracles*, qui contient les fondements de ce livre, a vu le jour grâce à leur volonté.

G.G.J.

Remerciements

Je tiens à exprimer ma plus profonde reconnaissance au Dr William Thetford pour ses encouragements et son soutien inlassables, pour toutes les heures qu'il a passées à modifier et à améliorer ce livre, ainsi que pour sa collaboration à la publication d'un précédent ouvrage (1) dont je donne de larges extraits dans *Aimer c'est se libérer de la peur*.

Je souhaite aussi exprimer mes remerciements les plus chaleureux à Jules Finegold, Hugh Prather et Mary Abney pour leur assistance.

Les titres des douze leçons de ce livre sont des citations prises dans *A Course in Miracles* (Un cours sur les miracles), dont les droits appartiennent à la Fondation pour la Paix Intérieure. Ils sont reproduits ici avec l'autorisation de l'éditeur. Je remercie tout spécialement Judy et Bob Skutch pour leur soutien amical et leur permission d'utiliser ces citations.

_____

(1) *To Give Is To Receive : Mini Course For Healing Relationships And Bringing About Peace of Mind*, par Gerald G. Jampolsky, M.D., publié en 1979 par MINI COURSE, P.O. Box 1012, Tiburon, CA 94920.

Note de l'auteur

On enseigne ce que l'on a envie d'apprendre, et j'ai envie d'apprendre à vivre l'expérience de la paix intérieure.

En 1975, j'étais pour ceux qui m'observaient un psychiatre couronné de succès, qui semblait posséder tout ce qu'il désirait. Mais dans mon univers intérieur régnaient le chaos, le vide, le malheur et l'hypocrisie. Vingt années de mariage venaient d'aboutir à un divorce douloureux. Je buvais exagérément et j'étais affligé de douleurs dorsales chroniques, manifestation de mon sentiment de culpabilité.

C'est à cette époque que je suis tombé sur un livre intitulé *A Course in Miracles* (Un cours sur les miracles). On peut concevoir le *Cours* comme une sorte de psychothérapie spirituelle autodidacte. Je fus surpris plus que nul autre de me retrouver à l'intérieur d'un système qui utilise des mots comme Dieu et Amour. J'avais toujours pensé être le dernier à pouvoir m'intéresser à de tels écrits. Je regardais de haut ceux qui suivaient une voie spirituelle : je les prenais pour des gens craintifs, n'utilisant pas leur intellect.

Au début de mon étude du *Cours*, je fis

une expérience surprenante, mais très réconfortante. J'entendis une voix intérieure, ou plutôt j'eus l'impression de l'entendre dire : « Médecin, soigne-toi toi-même : c'est ton chemin vers l'harmonie ».

Le *Cours* a joué un rôle essentiel dans mes efforts de transformation personnelle. Il m'a permis de comprendre que je pouvais choisir entre la paix et le conflit, entre la vérité et l'illusion. L'essence de notre être est l'Amour, telle est la vérité fondamentale pour chacun d'entre nous.

D'après le *Cours*, il n'y a que deux émotions : l'amour et la peur. La première est notre héritage naturel et l'autre une création de notre esprit. Le *Cours* suggère d'apprendre à se libérer de la peur en pratiquant le pardon et en voyant tous les êtres, y compris soi-même, sans faute et sans reproche. En appliquant ces concepts aussi bien à ma vie professionnelle que privée, j'ai commencé à faire l'expérience d'une paix que je n'aurais jamais crue possible.

Il me faut reconnaître qu'il m'arrive encore d'être déprimé, de me mettre en colère, ou de me sentir coupable, mais ces humeurs ne durent que quelques instants, alors qu'elles avaient autrefois tendance à s'éterniser. Je me considérais comme une victime du monde qui m'entourait. Lorsque les choses n'allaient pas, j'en rendais ce monde et les autres responsables et ma colère me paraissait justifiée. Aujourd'hui je sais que je ne suis *pas* victime du monde qui m'entoure et en conséquence, je prends la responsabilité de ce que je perçois et des émotions que je ressens.

Nous sommes tous les maîtres les uns des autres. J'ai écrit ce livre parce qu'en enseignant ce que je veux apprendre, la paix intérieure, je crois avoir plus de facilité à la réaliser pour moi-même. Cette démarche ne correspond pas du tout à ceux qui cherchent des gourous, car chacun est l'égal de l'autre, maître et élève à la fois.

En avançant dans la recherche de la paix intérieure, nous faisons aussi l'expérience d'une unité spirituelle avec les autres, résultat de la disparition de ce qui nous empêchait de sentir la présence de l'Amour.

Laissons nos vies témoigner de ce qui est dit dans le *Cours* :

**N'enseigne que l'Amour
car c'est ce que tu es.**

Jerry Jampolsky
Tiburon, Californie
1er Mai 1979

L'Amour est ma façon d'exprimer ma reconnaissance.

Préface

J'ai eu de nombreuses occasions d'observer Jerry dans des situations éprouvantes. Je l'ai vu au milieu de la nuit en train d'attendre une jeune fille confiée à nos soins et qui s'était perdue dans l'un des pires quartiers de Chicago ; je l'ai vu prendre repas, siestes et avions à des heures inhabituelles, lorsque nous voyagions à travers le pays pour donner des conférences ; je l'ai vu rester enfermé et discuter dans une chambre pendant des heures pour arriver à un accord concernant le manuscrit d'un livre ; je l'ai vu un jour où, en retard pour un rendez-vous, il cherchait son chemin sur des routes désertes de Californie ; je l'ai observé alors qu'il travaillait avec un jeune garçon condamné dans une petite pièce pleine de monde et essayait (avec succès) de lui expliquer comment se libérer de sa douleur.

Je vous dis tout cela pour vous faire comprendre que Jerry Jampolsky vit ce qu'il enseigne. Je sais que ce livre vient droit de son cœur. Rien de ce qui y est écrit n'est utopique ni impossible à mettre en pratique. Je l'ai vu vivre chaque ligne de ce livre depuis le jour où

je l'ai connu. J'écris et je suis aussi psychothérapeute. Auparavant j'étais conseiller
d'orientation, maître d'école et je pratiquais la
guérison spirituelle. Après avoir vu Jerry travailler avec des victimes de maladies ou
d'accidents, avec des gens condamnés ou
dans le coma, je sais qu'il existe un principe
fondamental qui est le seul valable si l'on veut
aider. Ce principe consiste à se mettre totalement à la place de celui qui a besoin d'aide, à
être convaincu qu'il n'y a aucune différence
entre vous et celui qui souffre, et qu'il existe
au contraire mille ressemblances qui vous
unissent.

Si je pense d'un père qui maltraite son
enfant : « Espèce de salaud, tu bats ton
enfant ; moi je ne bats pas le mien », je ne
peux rendre aucun service à cet homme mais
si, en revanche, je regarde honnêtement le
contenu de sa colère, et non pas la manière
dont il l'exprime, j'arrive à la reconnaître
comme étant la mienne. Une colère qui
s'exprime de manière indirecte et vicieuse
n'est pas supérieure à celle qui est exprimée
directement. En l'admettant, je me joins à lui
et je me tourne vers ce noyau spirituel qui
nous unit de l'intérieur, et nous pouvons alors
essayer d'aller vers lui ensemble.

La vieille conception de la manière dont
on peut aider quelqu'un était basée sur une
inégalité. Quelque chose va « mal » en moi :

j'ai par exemple un problème de discipline à l'école, ou bien je suis alcoolique, j'ai des tendances suicidaires, ou une maladie grave, ou un rhume. Cela me rend donc différent de *vous*, et la forme de cette différence n'a pas d'importance, parce que dans tous les cas je viens *vous* voir car je pense que *vous* en savez plus que moi, ou que *vous* avez des capacités qui me font défaut. Vous mettez alors toute votre attention sur mon problème, et de la sorte vous le retirez du contexte de ma vie. Ce n'est plus mon problème. Je vous passe toute la responsabilité, et c'est vous qui devez me dire ce qu'il faut faire ou penser.

Si ce modèle avait été notre seul moyen de nous aider mutuellement, je crois que nous n'aurions jamais été très loin. Mais nous avons toujours été conscients de son imperfection, du moins intuitivement, et cette conscience a fait de la place pour autre chose. *Aimer c'est se libérer de la peur* traite de cette autre chose. Les idées présentées dans ce livre sont praticables parce qu'elles ne sont *pas* nouvelles. Elles y prennent toutefois une nouvelle orientation, étant exposées sous leur forme la plus pure. De ce fait, cet ouvrage est essentiel.

Il serait peut-être utile pour certains lecteurs que j'explique comment je perçois le rapport à la vie de Jerry Jampolsky. Jerry dirait que son approche est celle du *Cours sur les miracles* et je suis d'accord, étant moi-même un adepte de ce livre, mais il faut ajouter que chacun a sa manière propre d'exprimer la Vérité. Ce caractère unique a une grande importance, parce que vous et moi, nous ne rencontrerons que certaines personnes dans cette vie, et lors de ces rencontres, l'honnêteté sera la source de tous les cadeaux que nous donnerons et recevrons.

Mon mode d'expression pourra donc paraître plus religieux que celui de Jerry, mais si vous me pardonnez cette différence, je ferai le maximum pour ne pas m'écarter de sa voie juste et modérée.

Nous avons reçu tout ce dont nous avons besoin pour être heureux maintenant. Regarder directement cet instant, c'est être en paix. Cela signifie que nous ne soucions pas de savoir comment l'Amour veillera sur nous dans le futur. Nous ne nous préoccupons pas non plus de ce que nous avons fait ou dit dans le passé, ni de savoir si une personne qui nous a nui aura ce qu'elle mérite. Etre pleinement heureux dans l'instant présent est un état d'esprit tellement puissant dans sa capacité de guérir et de propager la paix que l'on ne peut même pas le suggérer par les mots. L'anxiété — la seule autre alternative à la confiance en ce qui va arriver — est un état d'immobilisation provoqué par le fait de porter toute son attention sur ce qui semble ne pas pouvoir être modifié ; ce qui est passé ou ce qui n'a pas encore eu lieu.

Il y a environ deux mois, un homme m'a appelé pour me dire que *le Cours sur les miracles* ne lui réussissait pas. Il avait perdu son travail, sa femme l'avait quitté, sa voisine refusait de coucher avec lui, on l'obligeait à déménager et il ne trouvait rien à louer.

En parlant avec moi, il a repensé au jour où il avait perdu son travail et a comparé ses prévisions d'alors avec ce qui s'était réellement passé. Certes, il n'avait pas reçu tout ce qu'il s'imaginait désirer, mais il disposait en revanche de tout ce dont il avait réellement besoin. S'il regardait sa situation présente avec honnêteté, il lui fallait reconnaître qu'elle n'était pas mauvaise ; seule son *interprétation* le rendait mécontent. Cette interprétation dépendait de sa *mémoire*. Il devait se rappeler qu'il se définissait comme un « homme renvoyé ». Etudiant de près ce qui s'était produit après son divorce, il découvrit aussi que l'amour ne l'avait pas abandonné. Il lui restait sous une forme qu'il pouvait comprendre et apprécier. Il y avait maintenant dans sa vie beaucoup d'autres personnes qui l'aimaient vraiment.

L'amour lui-même reste constant ; seule la personne dont on l'attend peut changer. Rien ne peut interférer avec la promesse d'amour, si ce n'est la manière dont nous interprétons les choses, en déformant la vision de ce que nous sommes et de ce qui nous entoure.

En ce moment même, nous avons absolument tout ce dont nous avons besoin. Nous pouvons donc faire confiance à ce qui arrive, parce qu'il n'y aura jamais un seul moment où il n'en sera pas ainsi. Nous sommes aimés. Mais nous ne pouvons pas voir cet Amour si nous nous préoccupons continuellement de tout, sauf de ce qui se trouve à la portée de notre main. L'Amour n'existe pas à une époque imaginaire et il ne nous est d'aucune utilité dans le monde de nos idées craintives. Il nous faut être prêts à nous abandonner à sa douce étreinte sans nous soucier de savoir d'où il est venu et pourquoi il a choisi de rester.

Je terminerai par cette jolie histoire qu'un ami m'a racontée.

Un homme arrivé au terme de sa vie comparut devant Dieu, qui fit défiler sous ses yeux le film de sa vie et lui montra toutes les leçons qu'il avait apprises. Ensuite Dieu lui dit : « Mon enfant, as-tu quelque chose à me demander ? » Et l'homme répondit : « Pendant que Vous me montriez ma vie, j'ai remarqué que dans les moments heureux il y avait deux traces de pas et je savais que Vous marchiez à mes côtés. Mais lorsque les choses allaient mal, il n'y avait qu'une seule trace. Père, pourquoi m'avez-vous abandonné durant les périodes difficiles ? » Et Dieu répondit : « Tu as mal interprété ce que tu as vu, mon fils. Il est vrai que durant les moments heureux, je marchais à tes côtés et te montrais le chemin, mais lorsque les choses allaient mal, je te portais. »

Hugh Prather
Santa Fe, Nouveau-Mexique
23 juin 1979

Introduction

Mon ami Hugh Prather a écrit : « Il doit
exister un meilleur moyen de traverser la vie
que de se faire traîner en se débattant et en
gémissant. »

Certes, il *existe* une autre manière de traverser la vie, mais nous devons alors être
prêts à changer de but.

Partout, de plus en plus de gens se rendent compte que nous sommes en train de
nous détruire, nous et l'univers qui nous
entoure. Il semble que nous soyons incapables
de changer le monde, de changer les autres,
ou de nous changer nous-mêmes. Nombre
d'entre nous, moi y compris, avons perçu la
futilité de vouloir nous débarrasser des frustrations, des conflits, de la douleur et de la maladie tout en continuant à nous accrocher à nos
anciennes croyances.

De nos jours, la quête d'un meilleur mode
de vie devient plus pressante et provoque un
changement de conscience. On peut se repré-
senter une sorte de flot spirituel qui s'apprête
à purifier la terre. Cette transformation de la
conscience nous encourage à nous tourner
vers nous-mêmes, à explorer nos espaces inté-

rieurs et à découvrir l'harmonie et l'unité fondamentale qui sont là depuis toujours.

En nous écoutant nous-mêmes, nous
découvrons une voix intuitive qui nous guide.
Quand les sens physiques se taisent et que
nous commençons à écouter cette voix avec
confiance, nous ressentons des instants de
guérison et de changement authentiques.
Dans ce silence, les conflits de personnalités
cessant de nous intéresser, nous pouvons
faire l'expérience du bonheur d'être en paix.

Bien que nous désirions tous la paix, la
plupart d'entre nous continuent à chercher
quelque chose que nous ne trouverons jamais.
Nous essayons toujours et encore de contrôler
et de prédire, ce qui nous rend isolés, décon-
nectés, séparés, seuls, mal aimés et impossi-
bles à aimer. Même avec les gens qui nous
sont les plus proches, nous avons souvent des
relations du type amour-haine. Ce sont les
relations dans lesquelles nous ressentons le
besoin d'obtenir quelque chose de l'autre.
Lorsque ce besoin est satisfait, nous l'*aimons*
et lorsque ce n'est pas le cas, nous le *haïssons*. Nous découvrons que même après avoir
obtenu tout ce que nous voulions dans les
domaines du travail, de la maison, de la
famille, de l'argent, il reste un immense vide à
l'intérieur. Mère Teresa de Calcutta appelle ce
phénomène la *privation spirituelle*.

Partout dans le monde, les hommes commencent à se rendre compte qu'il est plus important d'éprouver un sentiment de plénitude intérieure que de se définir par rapport à des signes extérieurs de réussite. Lorsque nous *souhaitons* obtenir quelque chose et que nous n'y arrivons pas, il en résulte une accumulation de stress qui s'exprime par la frustration, la dépression, la douleur, les maladies et même la mort. Nous avons presque tous un réel désir de nous débarrasser de la douleur, de la maladie, des frustrations, mais nous continuons à conserver notre vieux concept de nous-mêmes. Peut-être tournons-nous en rond parce que nous nous accrochons à notre ancien système de croyances qui ne fonctionne plus et nous fait vivre dans un monde insensé.

Pour percevoir le monde différemment, il nous faut abandonner nos anciennes habitudes, élargir notre perception du *maintenant* et dissoudre les peurs que recèle notre esprit. Ce changement nous permettra de découvrir que nous ne sommes pas séparés des autres, que nous avons toujours été unis.

Il existe beaucoup de chemins valables menant à la transformation et à la paix intérieure. Ce petit ouvrage constitue un point de départ pour ceux qui souhaitent faire l'expérience de la transformation personnelle et mener une vie de don et d'Amour, délivrée de la cupidité et de la peur. En un mot, c'est un livre sur la réalisation de soi par le don. Le texte et les dessins montrent comment mettre en pratique dans notre existence quotidienne les étapes de cette transformation. Le but est de supprimer les blocages qui nous empêchent de percevoir la présence de l'Amour, notre vraie réalité, et de nous aider à faire l'expérience des miracles de l'Amour dans notre vie.

Comme le suggère le *Cours sur les miracles*, nous pouvons avoir comme *but* unique la paix de l'esprit, comme seule *fonction*, la pratique du pardon, et notre épanouissement se produira par l'écoute de la voix de notre maître intérieur. Agissant ainsi, nous apprenons à assainir nos relations, à faire l'expérience de la paix de l'esprit et à nous libérer de la peur.

PREMIÈRE PARTIE

PRÉPARATION
À LA TRANSFORMATION
PERSONNELLE

Toute peur est passée
et seul l'Amour est présent.

QU'EST-CE QUI EST RÉEL ?

La plupart d'entre nous n'ont pas une notion claire de ce qui est réel. Nous essayons de nous accommoder d'une réalité basée exclusivement sur les informations de nos cinq sens. Pour étayer cette « réalité », nous nous référons à ce que notre culture définit comme normal, sain et par conséquent réel.

Cependant, nous sentons vaguement qu'il doit y avoir quelque chose de plus. Et où est l'Amour dans cette façon de voir les choses ? Est-ce que nos vies n'auraient pas plus de sens si nous décidions que notre réalité est ce qui n'a ni commencement ni fin ? Seul l'Amour correspond à cette définition de l'éternel. Tout le reste est transitoire et sans importance.

La peur déforme toujours nos perceptions et nous empêche de comprendre ce qui nous arrive. L'Amour est l'absence totale de peur. L'Amour ne pose pas de questions. Son état naturel est le déploiement et l'extension, et non pas la comparaison, ni le jugement. Rien n'a donc de valeur en dehors de l'Amour ; la peur ne peut rien nous offrir, parce qu'elle n'*est* rien.

Bien que l'Amour soit ce que nous désirons vraiment, il nous effraie souvent sans que nous en soyons conscients et de ce fait, nous risquons d'être aveugles et sourds à sa présence. Pourtant, à mesure que nous nous aidons mutuellement à nous libérer de nos peurs, nous commençons à faire l'expérience d'une transformation personnelle.

Nous commençons à voir au-delà de notre ancienne réalité définie par nos sens physiques. Nous pénétrons dans un état de clarté dans lequel nous découvrons que tous les esprits sont unis, que nous partageons un Soi commun et que la paix intérieure et l'Amour sont la seule réalité. Avec l'Amour comme unique réalité, santé et bien-être sont synonymes de paix intérieure et guérison, d'absence de peur.

Donc, aimer c'est se libérer de la peur.

REJOUER LE PASSÉ

Nous créons tous notre propre poussière, qui ne sert qu'à nous empêcher de voir, d'entendre et de faire l'expérience de l'Amour en nous et chez les autres. Cette interférence que nous nous imposons à nous-mêmes nous emprisonne dans un vieux système de croyances que nous utilisons continuellement, même s'il n'est pas satisfaisant. On peut s'imaginer que notre esprit contient une quantité de bobines de film pleines des images de nos expériences passées. Toutes ces images sont superposées à la lentille à travers laquelle nous voyons le présent. En conséquence, nous ne le voyons jamais tel qu'il est ; nous ne percevons le présent qu'à travers des quantités de vieilles mémoires qui le fragmentent et le déforment continuellement.

Si nous le voulons, nous pouvons utiliser toujours plus efficacement l'imagination active pour tout effacer de ces vieilles bobines, tout sauf l'Amour. Cela exige que nous nous libérions de nos anciens attachements à la peur et à la culpabilité.

PRÉVOIR OU ÊTRE EN PAIX

Parfois, il est plus important pour nous de prévoir et d'affirmer notre contrôle que d'avoir l'esprit en paix. Nous préférons même prédire que nous allons bientôt être malheureux et nous réjouir d'avoir raison, plutôt qu'être vraiment heureux dans l'instant présent. Ne s'agit-il pas d'une manière malsaine de se protéger ? Cette attitude erronée nous fait confondre le plaisir avec la douleur.

Nous croyons souvent que les peurs du passé nous permettent de prédire avec raison les peurs du futur. En conséquence, nous passons la majorité de notre temps à nous faire du souci pour le passé *et* le futur, créant ainsi un cercle vicieux de peur qui ne laisse que peu de place à la joie et à l'Amour dans le moment présent.

CHOISIR SA RÉALITÉ

Nous pouvons choisir notre réalité. Parce que notre volonté est libre, nous pouvons choisir de voir et de faire l'expérience de la vérité. L'Amour devient alors notre réalité vécue. Pour cela, il nous faut à chaque instant refuser d'être limité par les peurs du passé et du futur, et par les valeurs douteuses que nous avons héritées de notre culture. Nous pouvons décider de vivre l'instant présent comme le seul moment qui soit, de vivre dans une réalité de *maintenant*. Notre esprit n'a que les limites que nous lui imposons. Si par exemple, nous jugeons bon de considérer comme *réel* un passé plein de peur, nous limitons notre esprit à n'utiliser que cette réalité-là. En conséquence nous ne pouvons envisager le futur

qu'avec appréhension et nous sommes incapables de nous arrêter une minute pour apprécier le présent avec l'esprit en paix. Lorsque nous utilisons des mots tels que *ne pas pouvoir* et *impossible*, nous nous imposons les limites d'un passé plein de peur.

UN BUT UNIQUE

Avoir pour but unique la paix de l'esprit est la motivation la plus forte qui soit. Pour atteindre la paix intérieure, il nous faut maintenir sans relâche la paix de l'esprit comme notre seul et unique objectif. Souvent, nous sommes tentés de poursuivre simultanément plusieurs buts. Mais cela ne fait qu'affaiblir notre attention et créer des conflits. Pour ne pas démordre de notre but, il nous suffit d'imaginer avec quelle intensité nous lutterions si, par exemple, nous nous retrouvions soudain en train de nous noyer dans l'océan. Dans cette situation, toute notre attention serait concentrée sur un seul objectif : flotter et respirer pour survivre.

LA PAIX DE L'ESPRIT PAR LE PARDON

Avec la paix de l'esprit comme but unique, pardonner devient notre seul outil. Le pardon est le moyen que nous utilisons pour corriger nos erreurs de perception et pour nous aider à nous libérer de la peur. En termes simples, pardonner, c'est se libérer.

La première étape pour reprogrammer notre esprit est d'établir que la paix intérieure est notre but unique. La deuxième étape est le pardon.

Nombreux sommes-nous à être frustrés du simple fait que nous voulons prendre l'Amour du prochain comme point de départ. C'est une erreur. A la lumière de nos anciennes valeurs et de nos expériences passées, il nous semble impossible d'aimer certaines personnes. Notre perception déformée de leur comportement nous empêche de les apprécier.

Lorsque la paix de l'esprit est devenue notre seul but, nous pouvons passer à l'étape suivante, le pardon, et décider de voir que les autres expriment l'Amour, ou au contraire qu'ils sont craintifs et demandent de l'aide sous forme d'Amour. Avec ce nouveau point de vue, il est plus facile de donner son Amour sans réserve et d'accepter l'autre totalement, en faisant simultanément l'expérience de la paix intérieure.

Les autres n'ont pas besoin de changer pour que nous ayons l'esprit en paix.

L'ESPRIT DIVISÉ

Il peut être utile de comparer le fonctionnement de notre esprit à la caméra, à la pellicule et à tout ce qui est nécessaire pour réaliser un film. En fait, notre expérience est constituée par la projection de notre état d'esprit sur un écran que l'on appelle « le monde ». Celui-ci devient alors le miroir de nos pensées et de notre imagination. Ce que notre esprit projette devient notre perception, qui limite notre vision aussi longtemps que nous nous y agrippons.

Notre esprit fonctionne dans la division : une partie agit comme si elle était dirigée par notre ego et l'autre par l'Amour. Le plus souvent, notre esprit écoute ce pseudo-metteur en scène qu'est notre ego, terme d'ailleurs synonyme de peur.

L'ego met en scène uniquement des films de guerre ou de conflits, bien que par des déguisements habiles, il les fasse passer pour la réalisation de nos fantasmes romantiques. En fait, il ne dirige que des films projetant l'illusion que nous sommes séparés les uns des autres. Notre vrai metteur en scène, l'Amour, ne projette pas d'illusions ; il élargit le champ de la vérité. L'Amour dirige des films qui rassemblent et unissent.

Notre esprit est le metteur en scène, le scénariste, le producteur, les acteurs, le projectionniste, le public et les critiques. Etant sans limites, il a la capacité de changer le film et tout ce qui le concerne à n'importe quel instant. Notre esprit a le pouvoir de prendre n'importe quelle décision.

L'ego joue dans notre esprit le rôle d'un rideau de peur et de culpabilité qui cache l'Amour. Nous pouvons apprendre à diriger notre esprit de manière à ouvrir le rideau pour révéler la lumière de l'Amour qui a toujours été là et qui demeure notre seule réalité.

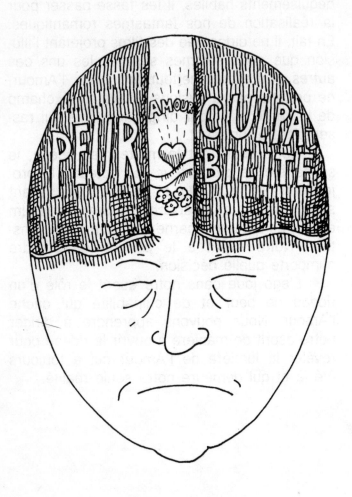

**Lorsque nous choisissons l'Amour
comme seul metteur en scène de notre vie,**

**nous pouvons faire l'expérience
de sa puissance et de ses miracles.**

THÈMES DIRECTEURS

Pour passer à la pratique dans la vie quotidienne, il est utile de garder en tête les thèmes suivants :

1. La paix de l'esprit est notre seul but.

2. Le pardon est notre seul instrument, la seule manière d'atteindre la paix de l'esprit.

3. Par le pardon, nous pouvons apprendre à ne plus juger les autres et à voir chacun, y compris nous-mêmes, sans reproches.

4. Nous sommes libres lorsque nous arrêtons de juger, de projeter le passé sur le futur et que nous vivons dans le présent.

5. Nous pouvons apprendre à écouter la voix intérieure de notre intuition qui est notre guide vers la connaissance.

6. Après nous avoir orientés, notre voix intérieure nous donnera aussi les moyens de réaliser ce qui est nécessaire.

7. Pour pouvoir suivre son guide intérieur, il faut en général se vouer à un but spécifique, même si les moyens de l'accomplir ne sont pas tout de suite évidents. Cela va à l'encontre de la logique ordinaire et peut être interprété comme « mettre la charrue avant les bœufs ».

8. Nous avons le choix de déterminer ce que nous percevons et les sentiments dont nous faisons l'expérience.

PEURS
DOUTES
ET AUTRES
SOUCIS

9. Nous pouvons reprogrammer notre esprit pour apprendre à utiliser l'imagination active et positive qui crée des films positifs et pleins d'Amour.

Je choisis de vivre
cette journée dans
une paix parfaite.

DEUXIÈME PARTIE

ÉLÉMENTS
DE LA TRANSFORMATION
PERSONNELLE

Tout m'apparaît
tel que je le souhaite.

SYSTÈMES DE CROYANCES ET RÉALITÉ

Nous sommes ce que nous croyons être. Notre système de croyances est basé sur notre expérience passée qui se rejoue constamment dans le présent, en prévoyant le futur à l'image du passé. Notre présent est à ce point coloré par le passé que nous sommes incapables de voir ce qui se passe dans l'immédiat sans distorsions ni limitations. Mais avec un peu de volonté, nous pouvons réexaminer notre image de nous-mêmes de manière à percevoir avec plus d'authenticité et de profondeur notre identité véritable.

NOUS SOMMES TOUS ILLIMITÉS

Pour vivre cette liberté totale, il est important de se détacher de toutes les préoccupations concernant le passé et le futur, et de choisir de vivre *maintenant*. Etre libre, c'est aussi ne pas se confiner à la réalité qui semble délimitée par nos sens physiques. Etre libre nous donne accès à l'Amour que nous partageons avec chacun. Nous ne serons pas libres avant d'avoir discipliné et reprogrammé notre esprit.

Bien que nous voulions tous l'Amour, nous paraissons pour la plupart incapables d'en faire l'expérience. Les sentiments de culpabilité et de peur provenant de notre passé entravent notre aptitude à donner et à recevoir l'Amour dans le présent. Il est impossible de faire en même temps l'expérience de la peur et de l'Amour. Nous avons toujours le choix entre ces deux émotions. En choisissant l'Amour plus souvent que la peur, nous pouvons changer la nature et la qualité de nos relations.

L'ATTAQUE ET LA DÉFENSE

Lorsque nous nous sentons attaqués par quelqu'un, nous nous mettons en général sur la défensive et nous trouvons un moyen direct ou indirect d'attaquer en retour. L'attaque est toujours la conséquence de la peur et de la culpabilité. Nul n'attaque à moins de se sentir menacé et de croire qu'il pourra ainsi démontrer sa propre force face à la faiblesse d'un autre. L'attaque est en fait une forme de défense. Comme toutes les défenses, elle a pour but de nous empêcher de prendre conscience de la peur et de la culpabilité ; elle ne fait donc que perpétuer le problème. Nous

nous maintenons pour la plupart dans la croyance que l'attaque va nous permettre d'obtenir ce que nous désirons. Mais nous oublions que l'attaque et la défense ne nous procurent pas la paix intérieure.

Pour faire l'expérience de la paix à la place du conflit, il est nécessaire de modifier notre perception. Au lieu d'imaginer que les autres attaquent, nous pouvons voir qu'ils ont peur. La peur est en fait un appel au secours et en conséquence, une requête d'Amour. Il est donc évident que pour faire l'expérience de la paix, il nous faut reconnaître que nous avons le choix de déterminer ce que nous percevons.

Presque toutes nos tentatives pour faire changer les autres, même lorsque nous croyons formuler une critique constructive, ne sont en fait que des manières de les attaquer en leur démontrant que nous avons raison et qu'ils ont tort. Il peut être utile d'examiner nos motivations. Enseignons-nous l'Amour ou faisons-nous une démonstration d'attaque ?

Si les autres ne changent pas selon nos attentes, nous avons tendance à les juger coupables, renforçant ainsi notre propre croyance en la culpabilité. La paix de l'esprit vient lorsque nous ne souhaitons plus voir les autres changer, mais les acceptons simplement tels qu'ils sont. L'acceptation véritable est toujours sans attentes ni demandes.

LE PARDON

On ne peut atteindre la paix intérieure qu'en pratiquant le pardon. Pardonner, c'est se libérer du passé, et c'est donc le moyen de corriger nos erreurs de perception.

Nous pouvons corriger nos erreurs de perception *maintenant*, en nous libérant de nos rancunes et de nos remords à l'égard des autres. Par ce processus d'oubli sélectif, nous devenons libres d'embrasser le présent sans éprouver le besoin de rejouer le passé. Par le vrai pardon, nous pouvons mettre un terme au cycle sans fin de la culpabilité et voir les autres ainsi que nous-mêmes avec un regard d'Amour. Le pardon nous délivre des pensées qui semblent nous séparer les uns des autres. Libres de cette croyance en la séparation, nous sommes guéris et nous pouvons étendre le pouvoir de guérison de l'Amour à tous ceux qui nous entourent. La guérison vient d'un sentiment d'unité.

De même que la paix intérieure est notre seul but, le pardon est notre seul outil. Lorsque nous acceptons aussi bien notre objectif que son instrument, notre voix intérieure devient notre seul guide vers l'accomplissement. Nous sommes délivrés et pouvons délivrer les autres de la prison des perceptions illusoires et déformées. Nous pouvons nous rassembler avec eux dans l'unité de l'Amour.

OBTENIR ET DONNER

Il est important de se rappeler que nous avons tout ce dont nous avons besoin maintenant et que l'essence de notre être est l'Amour. Si nous pensons avoir besoin d'obtenir quelque chose de quelqu'un, nous aimons cette personne dans la mesure où nous obtenons ce que nous désirons, et nous la haïssons dans le cas contraire. Nous avons souvent des relations du type amour-haine dans lesquelles nous marchandons de l'amour conditionnel. La motivation qui nous pousse à exiger nous conduit directement au conflit et à la détresse, et elle est associée à une vision linéaire du temps. Donner, c'est déployer son Amour sans conditions, sans attentes ni limites. Nous atteignons donc la paix de l'esprit lorsque nous consacrons toute notre attention à l'action de donner et que nous n'avons aucune envie d'obtenir quelque chose de quelqu'un ni de le changer. Lorsque nous nous sentons motivés pour donner, nous découvrons une sensation de paix intérieure et de joie qui se situe en dehors du temps.

REPROGRAMMER L'ESPRIT

Pour vous aider à reprogrammer votre esprit, n'oubliez pas de vous poser les questions suivantes en toutes circonstances :

1. Est-ce que je choisis de vivre la *Paix de l'Esprit* ou le *Conflit*?

2. Est-ce que je choisis de vivre *l'Amour* ou *la Peur*?

3. Est-ce que je choisis d'*Aimer* ou de *Critiquer*?

4. Est-ce que je choisis de *Donner* ou de *Demander l'Amour*?

5. Cette situation (communication verbale ou non verbale) apporte-t-elle de l'*Amour* à l'autre et à moi-même ?

La plupart de nos pensées, de nos paroles et de nos actions ne reflètent pas l'Amour. Si nous voulons la paix de l'esprit, il est essentiel que nos communications avec les autres amènent un sentiment d'unité. Pour avoir la paix intérieure et faire l'expérience de l'Amour, il nous faut être conséquents dans ce que nous pensons, disons et faisons.

MOTS A ÉLIMINER

Un autre processus permettant de reprogrammer l'esprit consiste à être conscients de l'impact des mots que nous utilisons. Les mots figurant dans la liste suivante sont souvent utilisés dans les messages que nous adressons aux autres ou à nous-mêmes. Ils perpétuent dans notre esprit l'image du passé coupable et du futur effrayant. Ainsi, notre sentiment de conflit se trouve renforcé. Plus nous reconnaissons que ces mots interfèrent avec notre paix intérieure, plus il nous sera facile de les éliminer de nos pensées et de nos paroles. Il vous sera peut-être utile de porter un sac-poubelle imaginaire dans votre esprit : chaque fois que vous utiliserez l'un de ces mots, visualisez-vous en train de le mettre dans le sac-poubelle, puis de l'enterrer.

Il est important que vous restiez toujours bienveillant envers vous-même. Si vous découvrez que vous continuez à utiliser l'un ou l'autre de ces mots, considérez simplement qu'il s'agit d'une erreur à corriger et décidez de ne pas vous sentir coupable de l'avoir commise.

Voici ces mots :

> **impossible**
>
> **je ne peux pas**
>
> **essayer**
>
> **limitation**
>
> **si seulement**
>
> **mais**
>
> **pourtant**
>
> **difficile**
>
> **je devrais**
>
> **il faudrait**
>
> **douter**
>
> **tout mot qui vous catalogue, vous ou les autres**
>
> **tout mot qui tend à mesurer ou à éva-luer les autres ou vous-même**
>
> **tout mot qui tend à juger ou à condam-ner les autres ou vous-même**

CONCLUSION

Ce livre fournit des lignes directrices pour se libérer de la peur et réaliser la paix intérieure. Son application pratique peut nous aider à modifier nos perceptions, afin que nous cessions de nous sentir séparés, craintifs et en conflit, et que nous fassions plutôt l'expérience de l'unité, de l'Amour et de la paix. Nous découvrons la paix intérieure lorsque nous apprenons à pardonner à tous, et donc à voir chacun, y compris nous-mêmes, sans reproche. Chaque instant de notre vie peut être considéré comme une occasion présente de renaître, libres des intrusions de notre passé et des anticipations du futur. Dans la liberté de l'instant présent, notre vraie nature d'Amour peut s'épanouir.

Lorsque nous sommes irrités, déprimés, en colère ou malades, nous pouvons être certains que nous avons choisi le mauvais but et que nous réagissons à la peur. Lorsque nous ne sommes pas dans la joie, c'est que nous avons oublié de faire de la paix intérieure notre unique objectif et que nous nous sommes plus souciés d'obtenir que de donner.

En préférant continuellement l'Amour à la peur, nous pouvons vivre une transformation personnelle qui nous permet d'avoir plus naturellement de l'Amour pour nous-mêmes et pour les autres. Et c'est ainsi que nous commençons à reconnaître et à vivre l'Amour et la joie qui nous unissent tous.

RÉSUMÉ

1. L'une des principales raisons d'être du temps est de nous permettre de choisir les expériences que nous voulons vivre. *Souhaitons-nous la paix ou le conflit ?*

2. Tous les esprits sont unis et ne font qu'un.

3. Ce que nous percevons au moyen de nos sens physiques ne nous offre qu'une vision déformée et limitée de la réalité.

4. Nous ne pouvons pas vraiment changer le monde extérieur ni changer personne. Nous *pouvons* changer la manière dont nous percevons le monde, dont nous percevons les autres et nous-mêmes.

5. Il n'y a que deux émotions ; l'une est l'Amour et l'autre la peur. L'Amour est notre vraie réalité. La peur est une création de notre esprit, elle n'a donc pas de réalité.

6. Notre expérience quotidienne est la projection de notre état d'esprit sur le monde extérieur. Si notre état d'esprit est d'Amour et de paix, nous projetterons l'Amour et la paix et nous en ferons l'expérience. Si notre esprit est

habité par le doute, la peur et le souci de la maladie, nous ferons l'expérience de la projection de cette réalité.

Le pardon met fin à toute
souffrance et à tout
sentiment de perte.

TROISIÈME PARTIE

LEÇONS POUR LA TRANSFORMATION PERSONNELLE

COMMENT ABORDER LES LEÇONS

C'est par la pratique quotidienne des leçons que les principes et lignes directrices de ce livre acquerront une signification personnelle pour vous. Certaines de ces leçons vous sembleront peut-être difficiles à accepter, vous aurez peut-être de la peine à voir leur rapport avec les problèmes de votre vie quotidienne. Ces incertitudes n'ont pas vraiment d'importance. En revanche, il est indispensable d'être fermement déterminé à pratiquer toutes ces leçons sans exception. Seule l'expérience résultant de cette pratique pourra vous aider à réaliser votre but : un plus grand bonheur personnel. Rappelez-vous qu'être fermement décidé n'implique pas un désir de domination, mais simplement le fait d'être prêt à changer ses perceptions.

Voici quelques suggestions pour tirer le maximum de bénéfice des leçons. (En commençant par la Leçon 1, pratiquez-les dans l'ordre, une par jour.)

1. Chaque jour au réveil, détendez-vous et utilisez votre imagination active. Visualisez-vous dans un lieu où vous vous sentez à l'aise, détendu et en paix.

2. Dans cet état de relaxation, passez quelques minutes à répéter plusieurs fois le

titre de la leçon ainsi que les pensées qui s'y rapportent, en leur permettant de s'intégrer à votre être.

3. Chaque jour posez-vous la question suivante : « EST-CE QUE JE VEUX FAIRE L'EXPÉRIENCE DE LA *PAIX DE L'ESPRIT* OU DU *CONFLIT* ? »

4. Ecrivez le titre de la leçon sur une petite carte et conservez-la avec vous. Regardez-la périodiquement durant toute la journée (soir y compris), et appliquez la leçon à tout le monde et à toutes choses sans exception.

5. Avant de vous endormir, détendez-vous à nouveau et prenez quelques instants pour revoir la leçon du jour. Demandez-vous si vous auriez envie que ces idées s'incorporent à vos rêves.

6. Quand vous aurez terminé toutes les leçons, vous approfondirez votre apprentissage en recommençant toute la série à partir de la première leçon.

7. Vous pourrez continuer de la sorte jusqu'à ce que vous constatiez que vous pensez aux leçons et les appliquez régulièrement sans avoir besoin de vous y référer.

LEÇON 1

JE ME DONNE
TOUT CE QUE JE DONNE

Je me donne tout ce que je donne

« *Donner c'est recevoir*, telle est la loi de l'Amour ». Selon cette loi, lorsque nous donnons notre Amour aux autres, nous sommes gagnants et recevons simultanément ce que nous donnons. La loi de l'Amour se fonde sur l'abondance ; nous débordons d'Amour à chaque instant et notre réserve est toujours pleine. Lorsque nous donnons notre Amour inconditionnellement à chacun sans rien attendre en retour, l'Amour qui est en nous s'étend, se déploie et nous unit aux autres. Ainsi, en donnant notre Amour, nous l'augmentons en nous et tout le monde en bénéficie.

La loi du monde nous dit au contraire que lorsque nous donnons, nous perdons ce que nous donnons. En d'autres termes, lorsque nous donnons quelque chose, nous ne l'avons plus et nous souffrons de cette perte.

La loi du monde est basée sur une croyance en la pénurie. Elle prétend que nous ne sommes jamais vraiment satisfaits. Et en effet, si nous cherchons la plénitude, l'Amour et la paix sous les formes extérieures que nous jugeons désirables, nous nous sentons toujours vides. Le problème, bien évidemment, tient au fait que rien dans le monde extérieur ne nous satisfera continuellement et totalement. Si nous suivons la loi du monde, nous cherchons toujours, mais ne trouvons jamais. Nous pensons souvent que notre source intérieure est tarie et que nous sommes dans le besoin. Ensuite, nous essayons de combler nos besoins imaginaires grâce aux autres.

Lorsque nous attendons des autres la satisfaction de nos désirs, nous sommes déçus — il ne saurait en être autrement — et par conséquent, nous sommes malheureux. Cet état se manifeste sous forme de frustration, déception, colère, dépression ou maladie, et nous avons l'impression d'être limités, rejetés ou attaqués.

Lorsque nous nous sentons mal aimés, vides et déprimés, la solution n'est pas de trouver quelqu'un qui nous donne de l'Amour. Ce qu'il faut, c'est aimer quelqu'un d'autre totalement et sans attentes. Cet Amour nous est alors simultanément donné à nous-mêmes. L'autre personne n'a pas besoin de changer ni de nous donner quoi que ce soit.

Le monde a ce concept erroné qu'il nous faut recevoir l'Amour des autres avant de sentir l'Amour à l'intérieur. La loi de l'Amour est différente de celle du monde. La loi de l'Amour dit que nous sommes Amour et qu'en donnant de l'Amour aux autres, nous apprenons à connaître notre vraie nature.

Permettez-vous aujourd'hui d'apprendre et de vivre la loi de l'Amour.

J'avais tort de croire pouvoir donner à autrui autre chose que ce que je souhaite pour moi-même. Puisque je veux faire l'expérience de la paix, de l'Amour et du pardon, je les donne aussi aux autres. Ce n'est pas de la charité de ma part que de leur offrir le pardon et l'Amour au lieu de les agresser. Offrir de l'Amour est tout simplement la seule manière d'accepter l'Amour pour soi-même.

Exemple A

La lettre suivante est de Rita, une amie que j'ai rencontrée en automne 1978. Rita m'avait téléphoné pour me demander de l'aide pour sa fille Tina atteinte de leucémie. Tina est décédée en janvier 1979.

Rita m'a autorisé à montrer cette lettre qui illustre à mon avis avec beauté et clarté l'essence de la leçon d'aujourd'hui.

Je me donne tout
ce que je donne

Le 27 février

Cher Jerry,

J'espère ne pas t'ennuyer avec cette lettre. Elle me donne l'occasion d'exprimer des pensées qui émergent d'une source très profonde, à laquelle je n'avais encore jamais eu accès.

De toute façon, en tant que psychiatre, tu sais que ce mode d'expression a une valeur thérapeutique.

Depuis la dernière fois que je t'ai écrit, d'autres fils ont continué à se nouer pour former la tapisserie de la vie.

Le 22 février, je suis allée écouter le Dr

Elisabeth Kübler-Ross. Inutile de dire que ce fut une expérience enrichissante. Elle a touché quelques points douloureux et il me fut difficile de supporter certaines parties de sa conférence. Mais ses paroles, son travail, sa philosophie m'ont laissé une impression durable et je sens que ce que vous faites, elle et toi, est vraiment fondamental.

Pour continuer dans l'ordre chronologique, voici ce qui s'est produit le jour suivant. Ce jour-là j'ai décidé d'aller travailler. Durant une pause je suis allée faire un tour dans un centre commercial que je fréquente d'habitude. Mais cette fois j'ai remarqué une petite librairie qui n'était pas là auparavant. Je me demandais malgré moi d'où elle s'était matérialisée. Il me fallait entrer et jeter un œil à l'intérieur. Je me suis renseignée, on m'a répondu que ce magasin était là depuis un mois. En regardant, j'ai remarqué une pile de livres qui n'avait pas encore été mise en rayon. L'un d'entre eux était un livre dont j'avais entendu parler et que je souhaitais lire à l'occasion. Je l'ai acheté. C'était « A World Beyond » (Un monde au-delà), de Ruth Montgomery. Il m'est difficile de dire à quel point ce livre m'a touchée. J'ai réexaminé ma vie une fois de plus en me demandant où tout cela me conduisait. Mais comme tu le dis, si une question nous trouble, elle ne nous fait aucun bien. Alors je ne me suis pas appesantie. J'ai relu ta lettre et j'ai repensé au passage où tu disais que l'une des meilleures manières de travailler une situation difficile à vivre (un deuil) était de trouver quelqu'un à aider. Nul besoin de chercher bien loin ou de me creuser la tête ; j'avais toujours su qui j'étais censée aider.

En deux mots, voici l'histoire.

Il y a environ un an, ma fille Tina a commencé à présenter des signes de maladie. Au même moment, une autre jeune femme de vingt ans, une voisine que je connaissais depuis quinze ans, commença aussi à souffrir d'une maladie qui n'était pas encore diagnostiquée. Sa mère et moi avons parlé des soucis que nous inspirait leur état. Plus tard, lorsque la maladie de Tina fut diagnostiquée, cette femme se mit à m'éviter. Elle ne m'adressa jamais la parole durant tout le temps où Tina fut malade. A sa mort, elle est venue à la messe, mais elle n'a pas dit un mot. Nous avons seulement échangé un regard silencieux. Elle a assisté à l'enterrement et fut l'une des aimables voisines qui nous apportèrent par la suite de la nourriture à la maison. Et elle ne parlait toujours pas. Je savais que j'étais l'« actualisation » de ce qui pouvait arriver à sa fille. Et c'est pourquoi par la suite je restais moi aussi à l'écart pour ne pas le lui rappeler. Je demandais de ses nouvelles aux voisins, mes informations étaient donc toujours de seconde main. Puis j'ai pensé à toi et à ta lettre. Et je me suis dit : « Pourquoi pas ? ». Je me sentais concernée après tout ! Alors je suis allée la voir. A peine m'a-t-elle vue qu'elle est venue vers moi et nous nous sommes embrassées. C'était tout naturel ! Chacune de nous connaissait les sentiments de l'autre ! C'était merveilleux ! Je me sentais si bien lorsque je suis partie. Je me suis demandé pourquoi j'avais attendu si longtemps pour franchir ces quelques mètres conduisant à sa maison. Avant je n'étais pas prête, je suppose.

A nouveau je te le dis, bien que tu sois loin géographiquement, je te sens proche spirituellement. Je ne m'interrogerai plus sur ce qui m'arrive, mais je l'accepterai et verrai où cela me conduira.

Que la paix soit avec toi Jerry, maintenant et toujours.

Sincèrement,
Rita

Exemple B

Il y a quelques années, j'ai eu la chance de passer du temps à Los Angeles avec Mère Teresa, connue pour son travail avec les pauvres et les mourants à Calcutta, en Inde, et de par le monde. Je souhaitais la rencontrer, sachant qu'elle était la démonstration vivante et presque parfaite d'une vie remplie de paix intérieure. Je voulais apprendre d'elle la manière de parvenir à cette qualité d'être.

Nous avons parlé de nos travaux respectifs avec des personnes qui se trouvent face à la mort. Je ressentis un très grand calme intérieur en sa présence. La puissance de l'Amour, la gentillesse et la paix qui émanaient d'elle sont difficiles à décrire. C'était ce que je souhaitais vivre et manifester moi-même.

C'était le week-end du 4 juillet (fête nationale américaine) et j'appris qu'elle allait s'envoler pour Mexico dans l'après-midi. Je lui demandai si je pouvais l'accompagner, car je souhaitais rester plus longtemps avec elle. Elle sourit gentiment et me dit : « Docteur Jampolsky, je n'ai pas d'objections à ce que vous veniez avec moi à Mexico. Mais vous avez dit que vous souhaitiez apprendre la paix intérieure. Je crois que vous en apprendriez davantage à ce sujet en vous renseignant sur le prix d'un vol aller-retour à Mexico et en donnant cet argent aux pauvres. »

Je me suis renseigné et j'ai donné le montant du voyage aux Frères de la Compassion de Los Angeles.

La leçon de Mère Teresa était importante. Elle m'avait appris à ne pas rechercher des conseils en dehors de moi-même pour savoir quoi faire. Le moment de donner est toujours maintenant — pas plus tard — et en donnant

sans attentes ni limites, on découvre immédiatement la paix intérieure. En l'espace d'un instant, j'avais appris que je me donne tout ce
que je donne.

**Aujourd'hui je donnerai aux autres
ce que je souhaite recevoir
moi-même.**

LEÇON 2

LE PARDON
EST LA CLÉ DU BONHEUR

Le pardon est la clé du bonheur

On ne peut atteindre la paix intérieure qu'en pratiquant le pardon. Le pardon est le moyen de changer nos façons de voir et de nous libérer de nos peurs, en oubliant tous les jugements et les rancunes.

Il faut se rappeler constamment que l'Amour est la seule réalité. Tout ce que nous ressentons, si ce n'est pas le reflet de l'Amour, indique une perception déformée que seul le pardon peut corriger. C'est grâce à lui que nous pouvons ne rien voir d'autre que l'Amour chez les autres et en nous-mêmes.

En oubliant de manière sélective, en retirant les verres teintés du passé qui colorent le présent, nous commençons à sentir que la réalité de l'Amour est toujours là et qu'en ne percevant qu'elle, nous pouvons vivre le bonheur. Le pardon consiste donc à se libérer du poids du passé en laissant partir le souvenir des expériences malheureuses antérieures.

Lorsque nous gardons des rancunes, nous nourrissons notre esprit de peurs et créons une distorsion qui nous emprisonne. Si nous décidons que la seule attitude juste est le pardon et si nous sommes prêts à le pratiquer constamment, nous serons délivrés, libérés. Le pardon dissipe l'illusion que nous sommes séparés les uns des autres et nous permet de faire l'expérience d'un sentiment d'unité avec chacun.

Le pardon tel qu'il est défini ici a un sens différent de celui qui est donné habituellement à ce mot. Pardonner, ce n'est pas prendre une position de supériorité et tolérer le comportement d'une personne que nous n'aimons pas et encore moins nous y adapter. Pardonner, c'est abandonner l'illusion que l'autre nous a fait du mal.

L'esprit qui ne pardonne pas est troublé et en proie à la peur. Il est sûr de sa perception des autres et de l'interprétation qu'il en fait. Il est certain que sa colère est justifiée et que son jugement critique est correct. Dans sa rigidité, l'esprit qui refuse de pardonner voit le futur comme le passé et résiste au changement. Il ne veut pas que l'avenir diffère du passé. Lui, il est innocent, et ce sont les autres qui sont coupables. Il aime le conflit, il tient à avoir raison. Et la paix intérieure est son ennemie. Il perçoit toute chose comme séparée.

Lorsque je considère quelqu'un comme coupable, je renforce mon propre sentiment de culpabilité et d'indignité. Je ne peux pas me pardonner à moins d'être prêt à pardonner aux autres. Ce que je pense avoir subi ou avoir infligé à autrui dans le passé n'a

aucune importance. Seul le pardon peut me permettre de me libérer totalement de la peur et de la culpabilité.

Exemple

L'exemple personnel suivant démontre certains des principes concernant les rancunes et le pardon.

Un matin, ma secrétaire m'apporta une énorme pile de factures. Elle me rappela que mes revenus étaient bas à cause de tout le temps que je consacrais à des personnes qui ne me payaient pas. Un homme me devait 500$ pour des services rendus à sa fille l'année précédente et elle souligna combien le travail avec moi avait été efficace et bénéfique pour l'enfant. Elle me dit ensuite qu'elle était lasse d'envoyer des rappels et me suggéra de transmettre la facture à l'office des poursuites.

Je lui répondis que je ne l'avais jamais fait et que je n'avais pas l'intention de commencer, mais que j'allais réfléchir. En regardant toutes les factures impayées, je sentis monter en moi ce que je pensais être une colère justifiée. Après tout, j'avais fait mon travail, et le père et la fille en avaient bénéficié. Je savais que cet homme avait largement les moyens de me régler et je me mis à penser que c'était un salaud. Je me décidai à l'appeler l'après-midi même.

Mais pendant que je méditais sur ma leçon quotidienne du *Cours sur les miracles*, qui était « Le pardon est la clé du bonheur », il me vint une image de cette personne qui me devait de l'argent. Une voix intérieure me suggéra de me libérer du passé et de mon attachement à l'argent. Il me fallait pratiquer le pardon et guérir ma relation avec elle.

Je l'appelai donc et lui parlai de ma méditation et de ma décision de ne plus lui envoyer de rappels. Je lui racontai ma colère et ma détermination à m'en détacher, lui dis que je lui téléphonais pour guérir notre relation et que l'argent n'avait plus d'importance. A l'autre bout du fil, il y eut une longue pause. Puis j'entendis l'homme me répondre : « Eh bien, si je ne paye pas votre facture, ce n'est sans doute pas Dieu qui va s'en charger. »

Je lui précisai qu'il était important pour moi de me libérer de l'attachement à l'argent et de la colère que j'avais ressentie à son égard au sujet de la facture. Je lui expliquai que je me libérais de la pensée qu'il m'avait porté le moindre préjudice.

Il y eut un autre silence puis, lorsqu'il parla à nouveau, sa voix était chaude et aimable. Il me remercia de l'avoir appelé et, à mon grand étonnement, me dit qu'il enverrait le chèque la semaine suivante. Il le fit.

Une heure plus tard, je rencontrai la mère d'une fillette de onze ans atteinte d'un cancer de la colonne vertébrale et qui appartenait à l'un de nos groupes au Centre. Cette femme avait été aidée par l'assistance publique, mais pour différentes raisons, elle n'arrivait plus à obtenir de l'argent par ce canal ni par aucun autre. Sa voiture avait été réparée et l'attendait au garage, mais elle ne pouvait payer la facture de 70$. Etant sans voiture, elle avait dû manquer des rendez-vous importants pour la chimiothérapie de sa fille. Ma voix intérieure me dit : « Donne-lui les 70$, puisque tu viens de retrouver de l'argent que tu croyais perdu ». Je le fis et sentis alors la paix intérieure m'envahir. Aujourd'hui encore, je suis émerveillé par cette paix profonde qui m'inonde dès que je me libère de la croyance qu'il existe des gens coupables et des gens innocents.

Aujourd'hui, je me libère de toutes mes vieilles perceptions erronées de moi-même et des autres. Je les remplace par le sentiment d'être un avec tous et je dis : je vois chacun, y compris moi-même, à la lumière du vrai pardon.

LEÇON 3

JE NE SUIS JAMAIS
PERTURBÉ POUR LA
RAISON QUE JE CROIS

Je ne suis jamais perturbé pour la raison que je crois!

Nous avons pour la plupart un système de croyances fondé sur nos expériences passées et sur les perceptions de nos cinq sens. Nos sens physiques semblent transmettre à notre cerveau des informations sur le monde extérieur et de ce fait, nous pouvons encore croire que notre état d'esprit et nos réactions dépendent entièrement de l'information (objective !) que nous recevons. Cette croyance renforce notre sentiment d'être séparés, isolés, livrés à nous-mêmes, dans un monde fragmenté et insensible. Cela peut nous donner l'impression que le monde que nous percevons est responsable de nos émotions telles que dépression, anxiété ou peur. Un tel système de croyances suppose que le monde extérieur est la cause et que nous sommes l'effet.

Considérons l'hypothèse du contraire. Avez-vous déjà songé que ce que nous voyons dépend peut-être de ce que nous croyons ? Que se passerait-il si nous acceptions l'idée que ce que nous percevons est déterminé par nos pensées ? Peut-être parviendrions-nous alors à reconnaître (ce qui nous semblera tout d'abord bien étrange) que nos pensées sont la cause et ce que nous voyons l'effet ? Il serait donc insensé, dans ce cas, de rendre le monde ou les gens responsables de la misère

et des souffrances dont nous faisons l'expérience, car la perception est alors considérée
comme un miroir et non comme un fait.

Imaginez-vous à nouveau que l'esprit est
une caméra qui projette notre état intérieur sur
le monde. Lorsque notre esprit est rempli de
pensées négatives, nous voyons le monde et
les gens sous un jour négatif. En revanche,
lorsque notre esprit est en paix, le monde et
les autres nous paraissent agréables. Nous
pouvons décider de nous réveiller le matin
pour voir un monde aimable à travers des
lunettes qui ne laissent passer que l'Amour.

Nous avons peut-être intérêt à remettre
en question notre besoin de contrôler le
monde extérieur. Mieux vaut apprendre à maî-
triser notre monde intérieur en choisissant les
pensées que nous souhaitons former dans
notre esprit. La paix de l'esprit commence
avec nos propres pensées, puis rayonne vers
l'extérieur. C'est à partir de notre paix intérieure (cause) que se développe une perception pacifique du monde (effet).

**Nous avons tous en nous la force néces-
saire pour diriger notre esprit et remplacer
les émotions perturbatrices, la dépression
et la peur par un sentiment de paix intérieure. J'ai tendance à croire que je suis**

perturbé émotionnellement par ce que font les gens, ou par des circonstances et des événements qui semblent au-delà de mon contrôle. Ma réaction peut être la colère, la jalousie, la rancune ou la dépression. En fait, tous ces sentiments représentent une forme de peur et c'est de cette peur que je fais l'expérience. Dès que je comprends que j'ai toujours le choix entre l'expérience de la peur et celle de l'Amour, en donnant mon Amour aux autres, je n'ai plus besoin d'être perturbé par qui ou quoi que ce soit.

Exemple

Pendant des années j'ai souffert de douleurs chroniques du dos. Il m'était impossible de jouer au tennis, de jardiner ou de m'adonner à diverses activités qui me plaisaient. J'ai été hospitalisé plusieurs fois, et à une certaine époque, un chirurgien voulait même m'opérer de ce que l'on appelait une maladie organique du dos - un disque dégénéré. J'ai refusé l'opération.

Je pensais être perturbé par la douleur et le mécontentement que me causait mon dos. Puis un jour, une petite voix intérieure me dit que même s'il s'agissait d'une maladie organique, je créais moi-même ma douleur. Je me suis alors rendu compte à quel point l'état de mon dos empirait chaque fois que j'étais sous l'influence d'une émotion négative, en particulier la crainte et la rancune à l'égard de quelqu'un. La raison pour laquelle j'étais perturbé n'était donc pas celle que je croyais.

Alors que j'apprenais à me libérer de mes rancunes par le pardon, ma douleur disparut. Aujourd'hui je ne suis plus limité dans mes activités. Je croyais être perturbé par l'état de mon dos. J'ai découvert que la perturbation provenait de relations personnelles qui n'étaient pas réglées. J'avais accepté de croire que le corps contrôle l'esprit, au lieu de me rendre compte que l'esprit contrôle le corps. Je suis sûr que la plupart des gens souffrant de problèmes de dos ont la possibilité d'apprendre à se libérer de leurs rancunes, de leur culpabilité et de leurs peurs. En se pardonnant à eux-mêmes ainsi qu'aux autres, ils feront l'expérience de leur propre guérison.

A tout moment de la journée, lorsque vous vous sentez sur le point d'avoir peur, rappelez-vous que vous pouvez choisir de vivre plutôt l'Amour.

LEÇON 4

LE SUIS PRÊT A VOIR LES CHOSES AUTREMENT

Je suis prêt à voir les choses autrement

Le monde que nous voyons et qui semble si malade est peut-être le résultat d'un système de croyances inadéquat. Ce système considère que le passé, où régnait la peur, va engendrer un avenir identique, et il réduit ainsi le futur aux conditions et aux limitations du passé. Ce sont nos souvenirs de peur et de douleur qui nous rendent si vulnérables. Et c'est ce sentiment de vulnérabilité qui nous pousse à essayer de prédire le futur et de le contrôler à tout prix.

J'aimerais mentionner un exemple personnel. J'ai été élevé dans une famille où la peur prévalait toujours. J'avais épousé la philosophie suivante : « Le passé était affreux, le présent est horrible et le futur sera encore pire ». Et bien sûr, nos prédictions se confirmaient toujours, puisque nous partagions tous ces curieuses convictions !

Notre ancien système de croyances considère que la colère naît parce que nous avons été attaqués. De plus, il justifie la contre-attaque ; mais si nous « protéger » dépend de nous, nous ne serions en revanche pour rien dans notre besoin de nous protéger !

Si nous le souhaitons, il nous est possible de changer notre système de croyances. Cependant, pour y parvenir, il nous faut jeter un regard nouveau sur toutes nos chères

valeurs et prétentions, c'est-à-dire nous libérer de toute habitude de nous agripper à la peur, à la colère, à la culpabilité ou à la douleur ; laisser partir le passé et avec lui toutes les peurs anciennes que nous continuons à projeter dans le présent et dans le futur.

« Je suis prêt à voir les choses autrement » signifie que nous avons réellement l'intention de nous débarrasser du passé et du futur afin de vivre l'*instant présent* tel qu'il est.

Durant presque toute ma vie, je me suis comporté comme un robot, en réagissant à ce que les autres disaient ou faisaient. Maintenant je me rends compte que mes réactions sont déterminées uniquement par la façon dont je décide de voir les choses. J'affirme ma liberté en utilisant ma capacité de voir les gens et les situations avec Amour plutôt qu'avec peur.

Exemple A

Lorsque j'étais à la faculté de médecine, il y avait toujours un étonnant pourcentage de la classe qui attrapait les maladies étudiées, quel que fut le genre de maladie : schizophrénie ou syphilis...

Moi j'avais peur de la tuberculose. Lors de mon internat à Boston, je dus passer un mois dans le service des tuberculeux et j'étais terrifié à l'idée d'attraper cette maladie et d'en mourir. J'avais conçu un plan qui consistait à prendre une grande inspiration avant d'entrer dans les locaux, puis à ne plus respirer pendant un mois. A la fin de la première journée, j'étais une épave.

La nuit, vers 23 h 30, je reçus un appel d'urgence. Je courus au chevet d'une femme d'une cinquantaine d'années, tuberculeuse, mais aussi alcoolique avec cyrrhose du foie, qui venait de vomir du sang. Son pouls ne battait plus. Je lui massai le cœur et je retirai le sang de sa gorge avec une machine à succion. Au début, l'appareil à oxygène refusant de fonctionner, je lui fis du bouche à bouche. Son pouls se remit à battre et elle recommença à respirer. Elle s'en était sortie.

Plus tard, de retour dans mes quartiers, je me regardai dans le miroir et vis que j'étais plein de sang. Tout d'un coup je me rendis compte que durant tout le temps de mon intervention, je n'avais pas eu peur. Cette nuit-là j'appris que lorsque je suis totalement absorbé par ce qui risque de m'arriver, je suis paralysé par la peur et ne peux aider personne ; mais lorsque je suis complètement engagé dans l'acte de servir, je ne ressens aucune peur. En me libérant du passé, en mettant toute mon attention dans le fait de donner dans l'instant présent, j'avais oublié la peur et j'avais pu voir les choses d'une manière différente.

Il est sans doute inutile de dire que, cette nuit-là, je perdis toute peur de la tuberculose. La patiente se révéla donc un très bon maître pour moi.

Nous sommes responsables de notre état d'esprit. En choisissant de considérer les gens et les événements comme dignes d'Amour ou justifiant notre peur, nous déterminons la nature de notre expérience : paix ou conflit.

Nous ne sommes pas obligés de nous comporter comme des robots, ni de donner aux autres le pouvoir de décider si nous allons vivre dans l'Amour ou la peur, dans la joie ou la tristesse.

Exemple B

Dans ce livre, j'insiste sur le fait qu'un changement de perception peut modifier radicalement notre manière de penser et qu'il est parfois utile de mettre la charrue avant les bœufs.

Je me rends compte que lorsque ma voix intérieure a décidé du but (la charrue), la seule chose qu'il me faut faire est de garder fermement ce but à l'esprit, et les moyens (les bœufs) viendront d'eux-mêmes. Nous passons pour la plupart tellement de temps à trouver les moyens que nous perdons le but de vue.

Voici un exemple. Les enfants avec lesquels je travaille, qui sont tous atteints d'une maladie grave, ont récemment écrit un livre. Il semblait inévitable de devoir attendre dix-huit mois, voire plus, pour qu'il soit publié par une maison d'édition. Alors que nous n'avions pas la somme nécessaire, mon intuition fut tout de même de ne pas attendre et de publier le livre nous-mêmes, avec la certitude que l'argent nous viendrait d'une manière ou d'une autre. (Autrefois je ne me serais jamais lancé dans ce genre d'entreprise sans avoir d'abord le montant correspondant. Mais en cette occasion, j'étais prêt à voir les choses d'une manière différente).

Je promis personnellement à l'imprimeur que j'emprunterais l'argent à la banque si nous n'arrivions pas à le trouver.

Lorsque les 5 000 exemplaires du livre, *Il y a un arc-en-ciel derrière chaque nuage*, furent livrés, un vendredi à midi, nous n'avions obtenu que 10% de la somme due.

J'eus l'impression d'être au bout d'un plongeoir et de sentir derrière moi quelqu'un qui s'apprêtait à me pousser. Et pourtant, une heure plus tard, nous reçûmes un coup de téléphone du Directeur de la Fondation Bothin : notre demande de subvention avait été acceptée et nous allions recevoir immédiatement un chèque couvrant tous nos frais.

Grâce à cette expérience, j'ai appris que rien n'est impossible lorsque nous suivons notre intuition, même si ses directives nous semblent menaçantes parce qu'elles vont à l'encontre de notre logique.

**Dès que vous sentez monter la peur en vous,
répétez-vous fermement :**

**Je ne suis pas un robot ;
je suis libre.**

**Je suis prêt à voir les choses
autrement.**

LEÇON 5

JE PEUX ÉCHAPPER AU MONDE QUE JE VOIS EN RENONÇANT À MES PENSÉES AGRESSIVES

Je peux échapper au monde que je vois en renonçant à mes pensées agressives

Nombreux sommes-nous à penser parfois que nous sommes désespérément prisonniers du monde que nous voyons. Malgré toutes nos tentatives, il semble que nous soyons incapables de modifier le monde et d'échapper à ses limites.

Mais si nous nous rappelons que le monde est constitué par nos pensées, il nous est alors possible de le changer. Nous changeons le monde qui nous entoure en modifiant les pensées que nous formons à son sujet. En modifiant nos pensées, nous modifions la cause. Alors le monde extérieur, qui est l'effet, change automatiquement.

Changer de système de pensées permet d'inverser la relation de cause à effet telle que nous la connaissons. Pour la plupart d'entre nous, cette idée est difficile à admettre. Nous avons en effet de la peine à renoncer à la commodité de notre ancien système de croyances et à assumer la responsabilité de nos pensées, sentiments et réactions. Toutefois, dans la mesure où nous regardons toujours en nous avant de regarder dehors, nous ne pouvons percevoir de l'agressivité à l'extérieur que si auparavant nous l'avons considérée comme réelle à l'intérieur.

Nous oublions ce fait dès que nous percevons une personne comme nous attaquant. Nous essayons de nous cacher que cette attaque perçue comme émanant d'autrui est née en réalité dans notre esprit. Aussitôt que nous le reconnaissons, nous nous rendons compte que nos pensées agressives nous font du mal à nous-mêmes. Nous pouvons alors choisir de les remplacer par d'autres pleines d'Amour pour cesser de nous faire du mal. Notre intérêt propre supérieur s'accompagne de la compréhension que l'Amour que nous donnons aux autres renforce l'Amour que nous avons pour nous-mêmes.

A nouveau, il faut rappeler que les pensées agressives n'apportent pas la paix de l'esprit et que de justifier notre colère ne suffit pas à nous protéger.

Aujourd'hui je reconnais que mes pensées agressives concernant les autres sont en fait dirigées contre moi-même. Lorsque je crois pouvoir obtenir quelque chose en attaquant les autres, j'espère vraiment me rappeler que c'est moi que j'attaque en premier. Je ne souhaite pas me faire à nouveau du mal aujourd'hui.

Exemple

Du fait de son travail avec des enfants atteints de maladies graves, le Centre de Guérison par le Comportement a récemment fait l'objet de beaucoup de publicité au niveau national, à la télévision et dans les journaux. Suite aux milliers de lettres que nous avons reçues, nous avons mis en route un programme international qui permet aux enfants de s'aider les uns les autres à trouver la paix en se téléphonant ou en s'écrivant. Ce projet nous a valu d'énormes factures de téléphone et nous avions besoin d'argent.

Durant l'une des méditations que je faisais pour calmer mon esprit, il me vint à l'idée d'appeler le président de la Compagnie Pacifique de Téléphone pour lui demander une aide financière. Mais j'avais de la peine à suivre cette intuition et cela pour deux raisons : j'avais déjà fait tellement de démarches de ce genre que je n'avais plus envie de continuer ; en outre, j'avais cette compagnie en horreur. Mon téléphone était souvent en dérangement et j'étais furieux contre elle.

Cependant, mon intuition persistait. Je sentis que je ne devais pas appeler tant que j'étais en colère. Je passai deux semaines à pratiquer le pardon et à me libérer de mes pensées agressives. A mon grand étonnement, je fus ensuite capable de ressentir une impression d'unité et d'Amour avec le personnel et la compagnie de téléphone.

Je tentai ensuite d'atteindre son président, mais ne réussis pas à le joindre. J'imaginais une cinquantaine de personnes autour de lui pour le protéger des clients mécontents. On me répétait toujours la même chose : « Le président est occupé, il ne peut pas vous parler pour l'instant ».

Après l'avoir appelé à quatre reprises, je décidai d'essayer une dernière fois. A ma grande surprise, il répondit en personne. Je lui dis que je souhaitais le voir et au lieu de m'aiguiller sur son département des relations publiques, il prit rendez-vous avec moi.

Il n'aurait pas pu se montrer plus cordial. Presque immédiatement, un comité de la compagnie commença à évaluer notre Centre et six semaines plus tard nous recevions une donation de 3 000$.

Maintenant encore, pour moi, *il s'agit d'un miracle !* Et sincèrement, je ne crois pas que ce miracle aurait pu se produire si je ne m'étais pas d'abord libéré de mes pensées agressives pour laisser se manifester l'Amour qui était déjà là.

A tout moment de la journée, lorsque vous êtes tenté de vous faire du mal avec des pensées agressives, dites fermement :

Je veux vivre la paix de l'esprit maintenant.

Je me libère avec joie de mes pensées agressives et je les remplace par la paix.

LEÇON 6

JE NE SUIS PAS LA VICTIME
DU MONDE QUE JE VOIS

Je ne suis pas la victime du monde que je vois

Avez-vous déjà remarqué que vous vous sentez souvent victime du monde dans lequel vous vivez ? La plupart d'entre nous, percevant de nombreux aspects de leur environnement comme mauvais, sont portés à se sentir désespérément pris au piège. Lorsque nous nous laissons aller à penser que nous vivons dans un environnement hostile où nous devons toujours être sur nos gardes, nous ne pouvons que souffrir.

Si l'on souhaite vraiment atteindre la paix intérieure, il faut percevoir un monde où chaque être est innocent.

Que se passe-t-il lorsque nous décidons de voir les autres libres de toute culpabilité ? Que faire au début pour les percevoir différemment ? Nous pourrions commencer par décider que tout ce qui s'est produit dans le passé est sans importance, en dehors de l'Amour que nous avons vécu. Nous pourrions décider de voir le monde par la fenêtre de l'Amour et non plus par celle de la peur. Nous choisirions alors de voir dans le monde la beauté et l'Amour et, chez les gens, leurs qualités plutôt que leurs défauts.

Ce que je vois au dehors est un reflet de ce que j'ai vu d'abord dans mon propre esprit.

Je projette constamment sur le monde les pensées, les sentiments et les attitudes qui me préoccupent. Je peux voir le monde d'une manière différente en modifiant mes idées selon ce que je désire voir.

Exemple A

Autrefois, je pensais qu'il était sain et tout à fait admis dans notre société de se sentir méfiant au moment d'entrer dans un garage pour acheter une voiture. On ne peut pas se fier à des vendeurs de voitures. Il me paraissait aussi normal que sage de me tenir sur mes gardes et j'aurais pu vous citer certaines

expériences malheureuses à l'appui de mes idées. Je ne me rendais pas compte que cette approche ne me laissait aucun choix. Je n'avais qu'une seule attitude possible, celle de la peur et de la suspicion. La paix de l'esprit m'était inaccessible.

Je n'en étais pas conscient non plus, mais le vendeur fonctionnait probablement selon son propre ensemble d'expériences passées, qui lui avaient « appris » à se méfier de ses clients. Il avait « appris » qu'ils ne le respectaient pas et n'avaient rien d'autre à lui offrir que de la dévalorisation. Se sachant perçu par ses clients comme un citoyen de deuxième classe, il se voyait lui-même ainsi.

Le vendeur et moi n'avions qu'une seule chose en commun : notre perception de l'autre était complètement déformée. Et ce qui avait faussé notre vision était identique. Nous n'avions sélectionné que certains aspects de notre passé pour établir un critère d'après lequel nous mesurions l'autre dans le présent.

Je suis aujourd'hui conseiller dans une grande agence de voitures et je m'en rends compte, mes attitudes ont changé. Ensemble, les vendeurs et moi, nous nous libérons de nos anciens griefs et consacrons nos efforts à la pratique du pardon.

Que se passerait-il si les vendeurs aussi bien que les acheteurs voyaient que le passé n'a aucune importance, pouvaient s'en détacher et devenaient ainsi des « fauteurs d'Amour » au lieu d'être des fauteurs de troubles ? Peut-être nous serait-il alors possible de nous rencontrer avec pour seule motivation la détermination d'élargir la paix. L'illusion « Je suis une victime du monde que je vois » pourrait être changée en son contraire : « Je ne suis *pas* une victime du monde que je vois. »

Exemple B

Par l'intermédiaire de gens qui avaient entendu parler de notre travail au Centre, on me demanda de rendre visite à Joe, un garçon de quinze ans dont la tête avait été écrasée à deux reprises par un tracteur. Il était aveugle, muet, ne sentait rien et avait une paralysie spasmodique bilatérale. Il était dans le coma depuis des mois et pour les médecins, pas même un miracle ne pouvait le sauver.

Néanmoins, la famille de Joe ne perdait pas espoir et essayait de vivre au jour le jour, en faisant le maximum dans l'instant présent. Lorsque Joe commença à reprendre conscience, il travailla dur, déterminé à guérir complètement. Puis ce fut comme une série de miracles : Joe réussit à nouveau à parler et à marcher. Durant toute cette période, il consacra beaucoup de temps à aider les autres. Lorsque je le vis, il me sembla qu'il était constamment de bonne humeur. Je lui demandai comment il y parvenait et il me répondit : « Oh, je ne regarde que les côtés positifs de chacun, je néglige les négatifs et je refuse de croire au mot impossible. »

Il est rare que Joe s'apitoie sur lui-même. Il aurait pu s'imaginer que le monde lui avait joué un sale tour. Mais il choisit la paix au lieu du conflit en décidant de ne voir le monde qu'à travers la fenêtre de l'Amour. *Le choix existe !*

En ce qui me concerne, Joe représente l'Amour pur. L'Amour émane de lui. Lui et sa famille sont pour moi et pour beaucoup d'autres de puissants maîtres de l'Amour. Il est l'exemple parfait de l'affirmation : « Je ne suis pas une victime du monde que je vois. » Parfois, lorsque je ne me sens pas bien, je pense à Joe. Je me rappelle alors que moi aussi je peux choisir de ne pas me considérer comme une victime du monde que je vois.

A tout moment de la journée, lorsque vous êtes tenté de vous sentir victime, répétez : seules mes pensées d'Amour sont réelles. Elles sont les seules que je veux avoir dans telle situation (spécifier) ou avec telle personne (spécifier).

LEÇON 7

AUJOURD'HUI JE NE JUGE PAS CE QUI ARRIVE

Aujourd'hui je ne juge pas ce qui arrive

Avez-vous déjà eu l'occasion de vivre, ne serait-ce qu'une seule journée, sans émettre aucun jugement et en acceptant tout le monde ? Vous pensez probablement que ce serait une tâche difficile, puisqu'il est tellement rare de vivre quelques instants - ne parlons pas d'une journée - sans porter ou entendre porter un jugement. Si nous y songeons un peu, nous serons horrifiés de voir avec quelle fréquence nous condamnons les autres, ou nous nous condamnons nous-mêmes. Nous nous imaginons peut-être même qu'il est impossible d'arrêter de juger. Pourtant, il suffit de commencer à s'y entraîner, sans vouloir atteindre tout de suite la perfection. Seule une pratique soutenue nous permettra de nous débarrasser des vieilles habitudes dont nous ne voulons plus.

Nous présentons pour la plupart d'entre nous un caractère que j'appellerai la « vision tunnel ». Nous ne voyons pas l'autre comme un tout. Nous ne voyons qu'une partie de la personne et notre esprit la juge négativement. Nombre d'entre nous ont été élevés dans un environnement scolaire et familial où l'accent était mis sur l'esprit critique, qui n'est en fait qu'un déguisement de la critique négative.

Dans les moments où nous nous surprenons en train de répéter cette erreur avec

notre épouse, nos enfants, nos amis ou même une rencontre de passage, il peut nous être utile de calmer notre esprit, d'observer nos pensées et de prendre conscience que notre attitude critique est entièrement conditionnée par nos expériences passées.

L'habitude de juger et d'être jugé par les autres amène toujours la peur et, au mieux, l'amour conditionnel. Pour vivre l'Amour inconditionnel, il faut nous débarrasser du juge qui est en nous. A sa place, il nous faut entendre notre puissante voix intérieure nous dire : « Je t'Aime et t'accepte totalement tel que tu es. »

A mesure que nous renforçons notre décision d'exprimer l'Amour, il nous devient de plus en plus facile de nous concentrer sur les bons côtés des autres et de négliger leurs faiblesses. Il est important que nous appliquions cette leçon à tout le monde y compris à nous-mêmes. Nous pouvons aussi nous voir avec amour !

Cesser de juger les autres est une autre manière de se libérer de la peur et de vivre l'Amour. Tout en apprenant à ne plus juger les autres et à les *accepter* totalement sans vouloir les *changer*, nous pouvons apprendre à nous accepter nous-mêmes.

Tout ce que nous disons, pensons ou faisons, rebondit vers nous comme un boomerang. Si nous envoyons des jugements sous forme de critiques, de colère ou de pensées

agressives, ils nous reviennent. Lorsque nous cessons de juger et que nous envoyons seulement de l'Amour, il nous revient aussi.

Aujourd'hui, décidez de n'émettre aucun jugement contre qui que ce soit, et même de ne pas penser à juger. Voyez chaque personne que vous rencontrez ou à laquelle vous songez comme un être exprimant de l'Amour, ou comme un être craintif qui demande de l'aide, c'est-à-dire de l'Amour.

Exemple A

A propos de mes pensées agressives, j'ai récemment reçu une grande leçon. J'avais eu une journée bien remplie. Je m'étais arrangé pour qu'un jeune garçon souffrant d'un cancer du cerveau à l'état terminal vienne en Californie accompagné par sa mère. Ils arrivèrent en fin d'après-midi du Connecticut. Dans la soirée, je les conduisis au Centre. Il y avait ce soir-là une réunion avec les autres enfants atteints de maladies graves. Une fois que ce fut terminé, je les ramenai chez moi et je retournai au Centre pour participer à une autre réunion avec des adultes atteints de cancer.

Cette réunion devait se terminer à 21 h 30 et j'allais ensuite chez des amis pour rencontrer des gens venus d'Inde. Alors que je m'apprêtais à quitter le Centre, j'aperçus un jeune homme d'environ dix-huit ans qui m'attendait. Il était barbu, sale et sentait très mauvais.

Il me dit qu'il souhaitait me parler. J'étais fatigué, impatient de partir et je ne souhaitais pas avoir encore affaire à une personne à problèmes. Il me dit qu'il venait d'arriver : il avait fait de l'auto-stop depuis la Virginie ; il m'avait vu à la télévision et s'était senti guidé pour me rencontrer.

En mon for intérieur, je le jugeais durement. (« Il doit être complètement dérangé pour traverser tout le pays pour moi, juste parce qu'il m'a vu à la télévision. ») Je ressentis sa demande comme une attaque. Je lui dis que j'avais un autre rendez-vous ce soir-là et que je le verrais le lendemain s'il pensait pouvoir attendre. Sinon, j'acceptais de rester pour le voir immédiatement. Il répondit qu'il pouvait attendre.

Le jour suivant, il fut incapable de m'expliquer exactement pourquoi il souhaitait me voir. Quelque chose dans mes yeux lui avait donné le désir de me rencontrer. Puisqu'aucun de nous deux ne semblait connaître la raison de cette rencontre, je suggérai que nous méditions ensemble : ainsi nous trouverions peut-être une réponse.

Alors que nous méditions, je fus surpris

d'entendre une voix intérieure me dire très clairement : « Cet homme est venu vers toi comme un cadeau pour te dire qu'il a vu l'Amour parfait dans tes yeux - ce que tu as du mal à voir toi-même. Ton cadeau pour lui est de lui offrir l'acceptation totale, ce qu'il n'a jamais connu de sa vie. »

Je lui dis ce que j'avais entendu, puis nous nous sommes embrassés. Je fus surpris de constater que je ne sentais plus l'odeur terrible qui me gênait encore un instant plus tôt. Des larmes coulèrent de nos yeux et nous avons ressenti une paix et un Amour mutuels qu'il est difficile de décrire.

Une guérison s'était produite pour nous deux. Les pensées agressives avaient été remplacées par de l'Amour. Nous avions été l'un pour l'autre psychothérapeute et maître. Il n'y avait, semblait-il, rien d'autre à dire ni à faire.

Nous nous sommes quittés remplis de joie. J'eus l'impression que je ne le reverrais jamais, mais que je n'oublierais pas l'expérience, ni la leçon de pardon qu'il m'avait enseignée.

Exemple B

Je pense que la majorité d'entre nous peut facilement s'identifier à un individu qui, choisissant un bon restaurant, découvre que le

service est épouvantable, que la serveuse est maladroite et désagréable, et tout le reste à l'avenant. Nous allons trouver normal que cet individu sente monter en lui une colère justifiée, qu'il ait des pensées agressives et qu'il ne laisse aucun pourboire à la serveuse. Si nous souhaitons garder la paix intérieure comme seul but, il nous faut corriger la croyance erronée que la colère peut être justifiée et amène la paix. Les pensées agressives et la colère n'ont jamais apporté la paix de l'esprit à qui que ce soit.

Reprenons donc l'incident précédent. Cette fois, je glisse à l'oreille du client, au moment où il s'apprête à s'asseoir, que le mari de la serveuse est mort deux jours auparavant et qu'elle a cinq enfants à la maison qui sont à sa charge. Il peut maintenant se rendre compte que la serveuse a peur et qu'elle lance un appel pour recevoir de l'Amour. Il peut voir sa force et son oubli d'elle-même, et découvrir qu'il est capable de lui pardonner sa maladresse. Son attitude est maintenant pleine d'Amour et d'acceptation, et il le montre en laissant un large pourboire.

L'apparence extérieure de ce que les yeux et les oreilles perçoivent est identique dans les deux cas. Mais dans le premier scénario, les événements sont vus à travers la fenêtre de la peur et dans le second, à travers celle de l'Amour.

Pour réaliser votre seul but qui est d'atteindre la paix intérieure, permettez-vous aujourd'hui de concentrer votre attention sur les pensées suivantes : Aujourd'hui je regarde tout ce qui arrive sans porter de jugement. Chaque événement me fournit une chance de plus de vivre l'Amour au lieu de la peur.

LEÇON 8

MAINTENANT EST LE SEUL MOMENT QUI SOIT

Maintenant est le seul moment qui soit

J'ai souvent pensé que nous avons beaucoup à apprendre des enfants. Ils ne sont pas encore adaptés au concept d'un temps linéaire comprenant le passé, le présent et le futur. Ils ne s'occupent que du présent immédiat, du *maintenant*. Mon intuition est qu'ils ne voient pas le monde de manière fragmentée. Ils se sentent liés à tout dans le monde, ils font partie intégrante du tout. Pour moi, ils sont l'innocence même, l'Amour, la sagesse et le pardon.

En grandissant, nous avons tendance à accepter les valeurs des adultes qui nous poussent à projeter dans le présent ce que nous avons appris dans le passé et à avoir des attentes précises pour le futur. Il nous est difficile de remettre en question notre conception du temps. Nous croyons que le passé va continuer à se répéter dans le présent et dans l'avenir, sans possibilité de changement. En conséquence, nous croyons que nous vivons dans un monde rempli d'anxiété, dans lequel il y aura tôt ou tard de la souffrance, des frustrations, des conflits et des maladies.

Lorsque nous nous attachons trop aux expériences négatives du passé, nous sommes tentés de voir le futur de la même manière. Le futur et le passé ne font plus qu'un. Nous nous sentons vulnérables lorsque nous croyons que notre triste passé est réel, oubliant que notre seule réalité est l'Amour et que l'Amour existe *ici* et *maintenant*. Parce que nous nous sentons vulnérables, nous nous attendons à ce que le passé se répète dans le futur. Or ce que nous attendons, nous l'invitons à entrer dans nos vies, nous le provoquons. Ainsi la culpabilité et les peurs passées continuent-elles à revenir en un cycle sans fin.

Une manière de nous libérer de tout ce « fatras archéologique » en nous est de nous rendre compte que nous pouvons cesser d'y être attachés, car il ne nous apporte pas ce que nous souhaitons. Lorsque nous voyons l'inutilité de rester dans ce cercle vicieux, nous éliminons les blocages qui nous empêchent de pardonner et d'Aimer ici et maintenant. De cette façon seulement pouvons-nous être vraiment heureux.

« Maintenant est le seul moment qui soit » devient alors une éternité. Le futur devient une extension d'un présent infini et empli de paix.

Mon souci du passé et sa projection dans l'avenir sabotent ma quête de la paix. Le passé n'est plus et le futur n'existe pas encore. La paix ne peut être trouvée ni dans le passé ni dans le futur, mais seulement *maintenant*.

Aujourd'hui, j'ai l'intention de vivre sans

penser ni au passé ni au futur. Je me répète : *maintenant est le seul moment qui soit.*

Exemple

La lettre suivante émane d'une infirmière du nom de Karol, qui est devenue une excellente amie. Nous avions eu l'occasion de parler auparavant de la manière dont une guérison (la paix intérieure qui naît lorsqu'on se libère de la peur) peut se produire instantanément.

Cher Jerry,

J'ai récemment parlé en de nombreuses occasions de l'amour inconditionnel et de l'importance de faire honneur à l'essence de son être en se libérant de la peur. Je suppose que l'on parle de ce que l'on a le plus besoin d'apprendre.

En rêve, j'étais assise face à un être humain - il était laid, craintif, difforme et misérable. L'espace d'un instant, je voulus m'enfuir. Mais en me relaxant, en me centrant, je vis le vrai lien qui existait entre nous et me mis à aimer ce lien. A mesure que l'interprétation illusoire de l'ego se dissipait, une éclatante lumière se mit à briller avec une innocence et une radiance que personne n'avait jamais vues. J'embrassai cette personne avec un amour que je n'avais encore jamais ressenti. Elle reçut mon amour et ce fut une joie, une communion, une unification spirituelle des âmes. Cette personne était moi et j'étais elle. Nous célébrâmes notre unité. Je connaissais le vrai sentiment de l'Amour, de l'honneur et du pardon. Je n'oublierai jamais cette guérison totale et absolue qui se produisait en un instant. *Maintenant* je comprends vraiment ce que tu voulais dire.

Dans la Vérité et l'Amour,

Karol

Je voulais partager cette lettre avec vous, car les cadeaux sont faits pour être partagés. La lettre de Karol m'est encore utile lorsque je me trouve attaché au passé et que j'ai de la peine à me pardonner à moi-même ou aux autres.

Maintenant est le seul moment qui soit.

LEÇON 9

LE PASSÉ N'EXISTE PLUS
IL NE PEUT PAS
M'AFFECTER

Le passé n'existe plus, il ne peut pas m'affecter

Lorsque nous pensons que quelqu'un nous a fait du mal dans le passé, nous construisons des défenses pour nous protéger de toute attaque future. Ainsi, le passé malheureux crée un futur malheureux et les deux ne font plus qu'un. Nous ne pouvons pas aimer si nous ressentons de la peur. Nous ne pouvons pas aimer si nous nous sentons coupables. Ce n'est que lorsque nous nous libérons des malheurs du passé et pardonnons à tout le monde que nous pouvons vivre l'Amour total et le sentiment d'unité avec toute chose.

Il nous semble tout à fait « naturel » d'utiliser nos expériences passées comme points de référence pour juger le futur. Nous voyons ainsi le présent à travers des verres teintés.

Si nous voulons voir notre épouse, notre patron ou notre collègue tels qu'ils sont, il nous faut les voir maintenant, en reconnaissant que leur passé et le nôtre n'ont aucune validité dans le présent.

Regarder le présent sans jugement, c'est faire de chaque seconde une expérience de renaissance. Il en résulte que chacun, y compris nous-mêmes, est délivré de toutes les erreurs du passé. Nous pouvons ainsi respirer librement et vivre le miracle de l'Amour en partageant cette libération mutuelle. Se produit alors un instant de guérison dans lequel l'Amour est toujours présent, *ici et maintenant.*

Notre insistance à vouloir tout contrôler et prédire nous maintient attachés aux expériences douloureuses du passé. La culpabilité et la peur, qui sont des alliées créées par notre esprit, nous encouragent à croire à cette continuité du temps. Si nous pensons qu'une personne nous a rejetés, critiqués ou fait du mal dans le passé, nous considèrerons qu'elle nous a attaqués. Cela renforce notre peur et nous incite à la contre-attaque. Se libérer du passé, c'est ne garder de rancune contre personne, y compris soi-même. C'est ne faire aucun reproche et accepter chacun comme il est, totalement et sans exception. Cela signifie aussi que l'on est prêt à voir la lumière qui brille en chacun, et pas seulement l'abat-jour.

Peur et Amour, culpabilité et Amour, ne peuvent exister simultanément. Je ne suis un esclave du temps que si je continue à projeter le passé dans le futur. En pardonnant, je me libère des fardeaux douloureux que j'ai apportés dans le présent. Maintenant, sans les distorsions de mon passé, je peux profiter des possibilités de libération du présent.

Exemple

En 1975, j'ai conduit un séminaire sur le *Cours sur les miracles*, quelques mois après être devenu un étudiant et adepte de cet écrit. Durant la pause, un couple d'une soixantaine d'années vint vers moi pour me dire qu'ils allaient le lendemain à l'hôpital rendre visite à leur fils de trente-cinq ans, atteint de schizophrénie chronique. Ils me demandèrent des conseils pour appliquer les principes du *Cours* à leur visite. Ne sachant pas trop quoi répondre, j'interrogeai mon intuition. Ce qui sortit de ma bouche me surprit. Les mots semblaient ne pas m'appartenir, pourtant ils vous seront familiers car depuis cette époque, ils font partie de moi et donc de ce livre. Je leur répondis ainsi :

« Passez la plus grande partie de la journée de demain à vous libérer de toutes les expériences passées douloureuses, pénibles et désagréables que vous avez vécues avec votre fils. Délivrez-vous de tout sentiment de culpabilité que vous inspire son état. Utilisez

votre imagination pour mettre toutes vos peurs et vos douleurs dans un sac-poubelle. Attachez-le à un ballon jaune rempli d'hélium, puis imprimez sur le ballon : « Je me pardonne mes erreurs de perception ». Regardez ensuite le ballon et la poubelle disparaître dans le ciel. Remarquez à quel point vous vous sentez plus légers et plus libres.

« Lorsque vous serez à l'hôpital et que le docteur vous parlera du comportement de votre fils, ne faites pas trop attention à ce qu'il vous dira. Regardez au-delà de ce que percevront vos yeux et vos oreilles. Choisissez de ne voir votre fils qu'à travers la fenêtre de l'Amour. Voyez votre fils comme de la lumière - la lumière de l'Amour. Voyez cette lumière d'Amour et la vôtre comme une seule lumière. Sentez la joie tranquille et sachez que le but de l'Amour est d'unir toute chose à lui-même. »

Une semaine plus tard, je reçus un beau cadeau : une lettre des parents me disant que jamais visite à leur fils n'avait été plus sereine.

Aujourd'hui, en ne vivant que dans l'instant présent, je revendique ma libération de toute douleur et souffrance passées.

LEÇON 10

JE PEUX VOIR LA PAIX
A LA PLACE
DE CE QUE JE VOIS

Je peux voir la paix à la place de ce que je vois

Nous vivons presque tous en croyant que notre bonheur ou malheur est en grande partie déterminé par les événements autour de nous et les réactions des autres à notre égard. Nous pensons fréquemment que notre bonheur dépend de la chance qui, elle, ne dépend pas de nous.

Nous oublions de donner à notre esprit l'instruction de changer nos perceptions du monde et des gens. Nous oublions que la paix de l'esprit est un état intérieur et qu'il faut avoir un esprit de paix pour avoir une perception pacifique du monde.

La tentation de réagir par de la colère, du découragement ou de l'enthousiasme provient de nos interprétations des stimuli externes de notre environnement. De telles interprétations sont forcément fondées sur une perception partielle de la réalité.

En s'attachant au passé ou en anticipant le futur, on vit dans le monde de l'imaginaire. Ce qui est réel dans notre vie, nous le vivons maintenant. Nous empêchons la fraîcheur et la nouveauté d'entrer dans notre vie lorsque nous essayons de revivre dans le présent des souvenirs du passé, qu'ils soient agréables ou désagréables. Nous nous trouvons ainsi en conflit permanent avec ce qui se passe réellement dans le présent et nous sommes incapables de vivre les innombrables occasions de bonheur qui s'offrent autour de nous.

La plupart du temps, je ne vois qu'un monde fragmenté dans lequel rien ne semble avoir de sens. Cette perception morcelée de ma vie quotidienne reflète le chaos qui est en moi. Aujourd'hui je vois le monde et moi-même sous un jour nouveau.

Exemple A

Ma mère a quatre-vingt-huit ans. Moi j'en ai cinquante-quatre et j'ai souvent envie de lui faire plaisir et de remédier aux situations qui la rendent malheureuse. Lorsque mes efforts n'aboutissent pas, je me sens mal à l'aise et j'ai tendance à voir en ma mère une personne exigeante, alors qu'elle ne fait que demander de l'aide.

Je me rends compte que je dois bien me souvenir d'une chose : c'est moi qui *suis* responsable de mes émotions ; c'est moi, et non ma mère, qui suis à l'origine de mon manque de paix.

La leçon «Je pourrais voir la paix à la place de ce que je vois» me rappelle que j'ai toujours la possibilité de choisir entre la paix et le conflit. Lorsque je mets cette leçon en pratique régulièrement, je suis capable de considérer ma mère sous un autre angle. Je peux décider d'accepter ma mère sans vouloir la changer. Cette nouvelle perception m'amène à voir l'Amour qui existe entre nous et à constater qu'elle continue à être pour moi un maître de valeur.

Exemple B

Lorsque nous sommes malades, notre réflexe est de nous plaindre, de gémir, de mettre toute notre attention sur notre corps et de nous sentir très mal. Dans cet état, nos sentiments de colère, de découragement et d'irritabilité ne font que renforcer notre impression de solitude et d'impuissance.

En travaillant avec les enfants du Centre, nous découvrons qu'en étant prêts à aider les autres, nous pouvons apprendre à être heureux au lieu d'être déprimés. Ces enfants nous enseignent que lorsque nous sommes malades ou handicapés, nous pouvons éloigner notre attention de notre corps et de ses problèmes, et nous consacrer à aider vraiment les autres.

Dès que nous nous occupons d'aider quelqu'un, nous cessons de nous sentir malades ou souffrants et nous découvrons la signification de l'affirmation : « Donner, c'est recevoir ».

Lorsque vous sentez votre paix menacée par quelque chose ou par quelqu'un, répétez-vous : je décide de voir l'unité et la paix à la place de la fragmentation créée par la peur.

Je peux voir la paix
à la place de ce que je vois.

LEÇON 11

JE PEUX DÉCIDER DE CHANGER TOUTES LES PENSÉES QUI ME BLESSENT

Je peux décider de changer toutes les pensées qui me blessent

Nous avons tous tendance à oublier que le choix et le libre-arbitre sont des attributs inhérents à notre esprit. Nous avons tous eu l'occasion de nous trouver dans une situation dont il nous semblait impossible de sortir.

Voici une suggestion qui peut être utile en pareil cas. Utilisez l'imagination créatrice pour trouver une issue. Imaginez-vous un mur et décidez qu'il représente votre problème. Peignez ensuite sur ce mur une porte sur laquelle il est indiqué « sortie ». Imaginez que vous ouvrez la porte, que vous la franchissez et la refermez soigneusement derrière vous. Votre problème n'est plus avec vous, puisque vous l'avez laissé derrière vous. Vivez votre nouvelle liberté en imaginant que vous êtes dans un lieu où vous n'avez aucun souci et où il n'y a rien d'autre à faire que de prendre du bon temps. Lorsque vous êtes prêt à quitter cet agréable refuge, ramenez avec vous ce sentiment nouveau de libération par rapport à vos efforts passés pour résoudre des problèmes. Dans la fraîcheur de votre nouvelle perception, vous découvrirez des solutions qui vous étaient précédemment inaccessibles.

Si, au lieu de considérer les obstacles comme des problèmes, nous les voyons comme des occasions d'apprendre, nous pouvons vivre la joie et le bien-être dès que la leçon est apprise. Nous ne nous trouvons jamais face à des leçons pour lesquelles nous ne sommes pas prêts.

J'ai dans mon esprit des pensées qui peuvent me faire du bien ou du mal. C'est moi qui choisis constamment le contenu de mon esprit, puisque nul autre que moi ne peut faire ce choix. Je peux donc décider de me libérer de tout, sauf des pensées d'Amour.

Exemple

L'exemple suivant peut illustrer la leçon d'aujourd'hui. L'histoire s'est déroulée en 1951 à l'hôpital de San Fransisco.

Je me trouvais dans une situation où je me sentais bloqué et immobilisé par la peur. J'éprouvais de sombres émotions et je pensais que des douleurs physiques ne tarderaient pas à se manifester. Nul doute que le passé déteignait sur le présent.

J'avais été appelé à deux heures du matin, un dimanche, dans les quartiers psychiatriques fermés, pour un patient devenu soudainement furieux. Le patient, que je n'avais jamais vu auparavant, avait été admis la veille avec un diagnostic de schizophrénie aiguë. Environ dix minutes avant que je ne le voie, il avait arraché le cadre en bois de la porte. En regardant à travers la petite lucarne de la porte, je vis un homme d'1 m 90, pesant bien 110 kilos. Il courait nu autour de la pièce, en portant cette grosse pièce de bois pleine de clous et en délirant tout haut. Je ne savais absolument pas quoi faire. Il y avait deux infirmiers de petite taille qui me dirent : « On se tient derrière vous, Doc. » Ce n'était pas pour me rassurer.

En continuant à regarder à travers la lucarne, je me rendis bientôt compte à quel point ce patient était effrayé, puis je sentis combien moi aussi j'étais effrayé. Et soudain, j'ai pensé que lui et moi avions un point commun susceptible de servir de lien - nous avions peur tous les deux.

Ne sachant que faire d'autre, je criai à travers la porte : « Je suis le docteur Jampolsky et j'aimerais venir vous aider, mais j'ai peur. J'ai peur qu'il m'arrive du mal, j'ai peur qu'il vous arrive du mal, et je ne peux m'empêcher de me demander si vous n'avez pas peur aussi. » A ce moment-là, il arrêta de délirer, se retourna et dit : « Vous avez foutument raison, j'ai peur ».

Je continuai à lui crier à quel point j'avais peur et lui à son tour me disait qu'il était terrifié. A mesure que nous parlions, notre peur disparut et nos voix se calmèrent. Il me laissa ensuite entrer seul, pour lui parler, lui donner quelques médicaments, puis repartir.

Ce fut pour moi une leçon très importante. En arrivant, j'ai commencé par voir le patient comme un ennemi potentiel. (Mon passé me disait que toute personne ayant l'air dérangé et tenant une massue dans la main était dangereuse.) Puis j'ai décidé de ne pas avoir recours à cet outil de manipulation qu'est l'autorité, qui n'aurait d'ailleurs fait qu'empirer les choses en créant encore plus de peur et de séparation. Lorsque j'ai trouvé que nos peurs nous unissaient et que je lui ai sincèrement demandé de l'aide, il est venu à moi. Nous étions alors en train de nous aider mutuellement. Lorsque j'ai vu ce patient comme mon maître et non mon ennemi, il m'a aidé à reconnaître que nous sommes sans doute tous les deux fous et que seule diffère la forme de la folie.

Je veux qu'aujourd'hui toutes mes pensées soient libres de peur, de culpabilité ou de condamnation pour moi ou pour les autres, et je me répète : Je peux décider de changer les pensées qui me blessent.

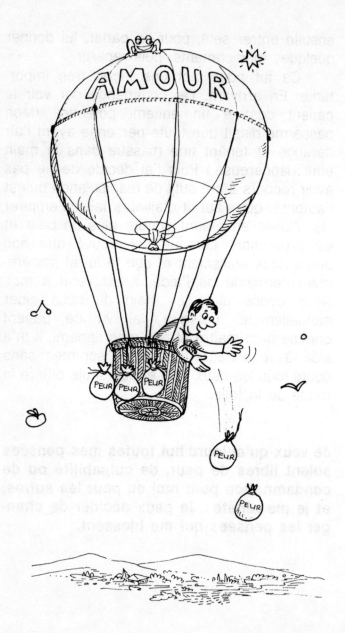

LEÇON 12

JE SUIS RESPONSABLE
DE CE QUE JE VOIS

Je suis responsable de ce que je vois.

Je choisis les sentiments que je ressens et je décide du but que je souhaite atteindre.

Tout ce qui m'arrive, je l'ai demandé et je le reçois tel que je l'ai demandé.

N'enseignez que l'Amour
car c'est ce que vous êtes.

Epilogue

Tenons-nous en à un seul objectif, atteindre la paix de l'esprit, au lieu de poursuivre des buts multiples n'engendrant que des conflits. Continuons à pratiquer le pardon et à voir les autres sans reproche. Regardons le présent avec Amour, car c'est lui qui détient la vraie connaissance. Continuons à nous impliquer dans ce processus de transformation personnelle dans lequel nous ne nous soucions que de donner, et non de recevoir.

Reconnaissons que nous sommes unis dans un seul Soi et illuminons le monde de la lumière de l'Amour qui brille à travers nous. Eveillons-nous à la conscience que l'essence de notre être est Amour et que nous sommes la lumière du monde.

LES EDITIONS VIVEZ SOLEIL

Nous sommes de plus en plus nombreux à désirer nous rapprocher de la nature, donner une part plus grande à la créativité personnelle et vivre pleinement dans un monde en changement constant. Pour cela, il nous faut découvrir les principes de santé et d'harmonie nous permettant d'améliorer notre relation avec nous-mêmes, nos proches et le monde dont nous faisons partie.

Les méthodes de santé sont actuellement multiples et variées. Qu'elles soient issues des traditions anciennes ou des études scientifiques modernes, il est important de percevoir leur complémentarité pour faire ensuite librement ses choix et agir en se prenant en charge.

Les EDITIONS VIVEZ SOLEIL présentent des chemins possibles, montrent des directions, en se situant au-delà des querelles d'école et en respectant les convictions et préférences de chacun. D'un livre à l'autre se multiplient les occasions de prise de conscience et de compréhension. Si les expériences proposées nous attirent, nous sommes invités à *vivre toujours plus au pays du bien-être :* favoriser notre santé et notre épanouissement, développer nos ressources personnelles et notre connaissance de nous-mêmes dans une approche globale tenant compte de toutes les dimensions de l'être humain : physique, émotionnelle, mentale et spirituelle.

Les livres signés « Docteur Soleil » sont le fruit du travail d'équipe de personnes de tous horizons pour réaliser des synthèses dans un langage simple et pédagogique. Ils s'appuient sur la documentation fournie par la FONDATION SOLEIL de Genève dans les domaines de la santé et du bien-être.

Les livres, les cassettes audio et les cassettes vidéo que nous publions sont sélectionnés pour la qualité de leur information ou la beauté de leur message. Tous visent à nous permettre d'entrer dans une conscience de la vie plus large, plus joyeuse et plus libre.

Demandez notre catalogue gratuit à :

EDITIONS VIVEZ SOLEIL   ou   **EDITIONS VIVEZ SOLEIL**
32, avenue Petit-Senn   **z.a de l'Eculaz**
CH-1225 Chêne-Bourg, Genève   **F-74930 Reignier**
Tél. (022) 49 24 70   **Tél. 50.43.47.92**

SANS PEUR ET
SANS REPROCHES

La peur et les reproches compromettent nos relations avec les autres, notre paix intérieure et, de proche en proche, la paix du monde. Dès l'instant où, par la correction de nos perceptions erronées, nous réussissons à vivre sans peur et sans reproches, nous entrons dans la joie du présent, nous trouvons la paix.

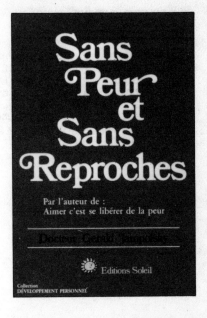

N'ENSEIGNEZ QUE
L'AMOUR

Ce livre expose les principes de la guérison des attitudes, qui consiste à ne garder que des pensées d'amour, à ne plus nous percevoir comme séparés les uns des autres, à ne plus analyser, interpréter ni juger. De très beaux exemples, choisis parmi les expériences de l'auteur avec ses malades, en majorité des enfants, illustrent ces principes.

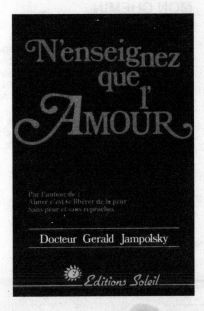

DU MÊME AUTEUR
AUX ÉDITIONS VIVEZ SOLEIL :

DONNER C'EST RECEVOIR

Sous la forme d'un mini-cours, très original et pratique, l'auteur nous propose 18 leçons à appliquer sur 18 jours pour faire régner l'harmonie dans nos relations avec les autres.

Ses 18 étapes nous guident en douceur vers l'amour plutôt que la peur, la paix plutôt que le conflit.

MON CHEMIN VERS LA LUMIERE

L'auteur raconte son cheminement depuis les abîmes de la dépression jusqu'à cette "lumière" qui illumine aujourd'hui sa vie. Il vous montre comment il a vécu lui-même les étapes de la Guérison des Attitudes qu'il enseigne.

Le livre idéal pour découvrir ce chef de file du Nouvel-Age ou pour mieux le connaître après avoir lu ses ouvrages précédents.

LA POLARITÉ, VOS MAINS GUÉRISSENT
Richard Gordon

L'équilibrage de la polarité est reconnu comme l'un des outils les plus puissants dans l'approche holistique de la santé. Cette technique est facile à apprendre, subtile et cependant incroyablement efficace. En utilisant les courants de force du corps, chacun peut aider son prochain à relâcher les blocages énergétiques qui sont à l'origine des troubles physiques et psychiques.

VAINCRE PAR LA SOPHROLOGIE
Dr Raymond Abrezol

Le Dr Abrezol enseigne la sophrologie depuis de nombreuses années. Il s'est fait en particulier connaître grâce aux remarquables résultats obtenus par cette méthode dans le cadre du sport de compétition. Il anime de multiples séminaires pour le corps médical (sophrologie, thérapeutique) ou pour le public (sophrologie de bien-être).

Ce livre est essentiellement pratique. Il permet au lecteur de comprendre facilement ce qu'est la sophrologie. Il lui propose des exercices simples pour parvenir à des niveaux de conscience profonds où la peur n'existe plus. A ces niveaux se révèlent d'insoupçonnables ressources individuelles capables de vaincre toutes les difficultés.

L'auteur montre, d'une façon vivante et claire, comment devenir responsable de son équilibre de santé. Il aborde les grands problèmes de la vie dans l'optique d'une application immédiate et aisée des principes de la sophrologie.

Plusieurs éditeurs œuvrant pour un idéal convergent ont décidé d'unir leurs efforts, remplaçant la compétition par la coopération. Nos partenaires sont les Editions ARISTA, LE SOUFFLE D'OR, L'OR DU TEMPS et LE HIERARCH, le Centre ISTHEME / DIEM (cassettes) et LE CHANT DES TOILES (cartes et posters).

LES MESSAGERS DE L'ÉVEIL *mettent en commun leurs forces, tout en préservant l'identité de chacun.*

LES ÉDITIONS VIVEZ SOLEIL *invitent leurs lecteurs à soutenir l'édification de ce réseau de lumière en germination.*

Nos lecteurs trouveront dorénavant nos ouvrages sous le nom " Éditions Vivez Soleil ". Toutefois, certaines de nos anciennes publications sont encore disponibles sous le nom " Éditions Soleil ".

Achevé d'imprimer en janvier 1992
sur les presses de l'imprimerie Darantiere à Quetigny.
Imprimé en France.

Dépôt légal : 1er trimestre 1992.
N° d'impression : 149